探索天下·学生版

恐龙未解之谜

Konglong Weijie Zhi Mi

郑丽萍◎主编

北京出版集团公司
北京教育出版社

探索世界的奥秘

爱因斯坦曾说过：

“探索奥秘对于人类而言，是美妙的事情。”

“探索天下·学生版”系列丛书是一把为你打开奇妙新世界的钥匙，翻开这套书，你会看到：

新奇知识大搜罗

关于你对未知世界的诸多疑问，这里没有答案，只有关于未知世界的1001个问题，而答案等待你来寻找！

真实世界大展示

真实、理性、科学的事实陈述，高清、丰富、多角度的图片呈现，让你更直观、更清晰地了解未知世界！

神秘世界大发现

深海的宝藏、外星人的基地、会动的植物、恐龙的DNA、神奇的金字塔、瑰丽的海底世界……世界的每一个角落都藏着谜团，等待你去寻找，去破解！

我们不要枯燥，不要呆板，要让科学好玩起来！

找到属于你的答案！

探索未知，拓展知识视野；
发现新知，培养创新精神。

1

神秘莫测的恐龙未解之谜。例如，恐龙的祖先是谁？恐龙是什么颜色的？恐龙冬眠吗？地球上还有幸存的恐龙吗？……

2

你会了解不同种类、形态各异的恐龙趣闻。例如，慢龙的食性之谜；暴龙是捕食者还是腐食者；让人困惑的伤齿龙；南方盗龙的归属之谜……

3

你会对恐龙的灭绝假说展开联想，并寻求可信的原因。例如，小行星撞地球假说；海底火山灭绝假说；恐龙被烤死假说；恐龙食物中毒假说……

4

你会对恐龙的远亲近邻有全面、直观的认识。例如，恐怖鸟的秘密武器；怪模怪样的蛇颈龙；猛犸象灭绝之谜；鳄鱼为何没有灭绝……

图书在版编目（CIP）数据

恐龙未解之谜 / 郑丽萍主编. — 北京：北京教育出版社, 2017.1
（探索天下·学生版）

ISBN 978-7-5522-8097-5

Ⅰ.①恐… Ⅱ.①郑… Ⅲ.①恐龙－青少年读物 Ⅳ.①Q915.864-49

中国版本图书馆CIP数据核字（2016）第177457号

探索天下·学生版

恐龙未解之谜

郑丽萍 / 主编

*

北京出版集团公司 北京教育出版社 出版
（北京北三环中路6号）
邮政编码：100120
网址：www.bph.com.cn
北京出版集团公司总发行
全国各地书店经销
北京画中画印刷有限公司印刷

*

710mm × 1000mm 16开本 20印张 280千字
2017年1月第1版 2019年12月第3次印刷

ISBN 978-7-5522-8097-5
定价：49.50元

目录

Contents

第一章　恐龙的总体概述

第二章　神秘的恐龙世界

第三章　身负秘密的恐龙

第四章 恐龙灭绝之谜

第五章　恐龙的远亲近邻

第一章

恐龙的总体概述

Konglong de Zongti Gaishu

认识恐龙

说恐龙，谈恐龙，恐龙到底长什么样？它们有哪些独一无二的特征？让我们好好观察一下恐龙化石，了解一下它们吧！

独一无二的体貌

恐龙由假鳄类进化而来，属于爬行动物，但恐龙又与其他爬行动物略有不同。

相同之处：都是四足脊椎动物；身体的基本构造相同，分为头、躯干、尾3部分，由脊椎相连。

不同之处：恐龙的四肢直接竖直向下，肢体形态呈直立状；恐龙的前掌第五指的指骨等于或少于3节；肱骨延长部分形成冠状锁骨；骶骨有

3节或3节以上；股骨末端呈球状；髋臼完全开放；部分恐龙的臀部骨骼与其他爬行动物的一样，部分恐龙的臀部骨骼与现代鸟类的一样。

灵活敏捷的猎人

如果用心观察恐龙和蜥蜴的肢体形态，你就会发现蜥蜴是四肢平直向外延伸，到了肘部再向下垂直的。这种肢体形态限制了爬行的步幅，使它们只能一小步一小步地向前挪；恐龙的肢体形态是直立的，四肢迈起来，跨幅大，行动速度快。所以，恐龙与其他爬行动物相比，简直就像灵活敏捷的猎人。

离奇消失

早在中生代，地球上就居住着一群硕大无比的奇特动物，它们就是恐龙。这些恐龙是当时地球上无可争议的霸主，它们支配了全球生态系统约1.6亿年，甚至更长、更久，最后，它们却离奇地灭绝了。今天我们所知的关于恐龙的一切，都来源于恐龙化石，而其中一些信息究竟是对是错，一直众说纷纭。

个头差异大

恐龙大概是相同物种中个头差异最大的了。恐龙中的大个子，有几头大象加起来那么大。雷龙、腕龙就属于特大型恐龙；恐龙中的小个子则小得可怜，大概只有一只火鸡那么大，如赫氏近鸟龙等。

恐龙生活时段

恐龙是已经绝灭的史前爬行动物，是爬行动物大家族中的一大类成

恐龙骨骼化石

员。它们生活在地球历史的中生代。中生代从2.5亿年前起，至6550万年前止，分3个纪：三叠纪、侏罗纪和白垩纪。恐龙大约出现在三叠纪的中晚期，侏罗纪和白垩纪时极繁盛；恐龙是中生代的地球“统治者”，因此，中生代又常常被称为“恐龙时代”。但到白垩纪末期，恐龙突然从世界各地全部消失。

恐龙的归属

我们知道，科学家们通常把动物分成各种类型：节肢动物，软体动物，两栖动物，等等。那么，恐龙又是什么动物呢？

恐龙是一种爬行动物，而爬行动物又是脊椎动物家族中的一员。概括而言，恐龙就是一种生活在中生代的陆生爬行动物或直立行走的爬行动物。听起来是不是很复杂呢？

恐龙的分布

恐龙分布的地域极其广泛，它们的踪迹遍布世界各地，从北极圈到澳大利亚，从中国到南非，从阿根廷到葡萄牙，恐龙遍布各个大陆，并且在各种各样的环境中

生活着，森林中、平原上、沙漠里、岛屿上，无处不在。中国是世界上少有的几个恐龙化石丰富的国家。曾生活在我国的非常有名的恐龙有马门溪龙、气龙、巨型山东龙、棘鼻青岛龙等。

中生代的恐龙种类繁多，肉食性恐龙、植食性恐龙、杂食性恐龙，应有尽有。它们有不少共同点，也有很多不同点，想要一句话概括出恐龙到底是什么，真的是一件非常困难的事。

恐龙的活动时间轴

恐龙大约生存了1.6亿年。它们总在随着时间的推移而进化：新物种出现，旧物种灭绝。这个时间轴显示了不同种类的恐龙存活的年代。

三叠纪时，出现了巨大的四足植食性恐龙，它们被称为原蜥脚类恐龙或蜥脚类恐龙。当然，这时候的肉食性恐龙已经进化出兽脚类恐龙了。

哥斯拉龙　板　龙　里奥哈龙　冰脊龙

三叠纪

侏罗纪是恐龙的繁盛时期，因为这时候的环境最适合恐龙生存。到了侏罗纪末期，恐龙家族又增添了许多新成员，变得更加热闹了。

白垩纪时，出现了开花植物，新的植物种类的出现，给恐龙带来了更丰盛的食物。可惜的是，恐龙没能将这丰盛的食物享用到最后。白垩纪末期，它们就在地球上消失了。

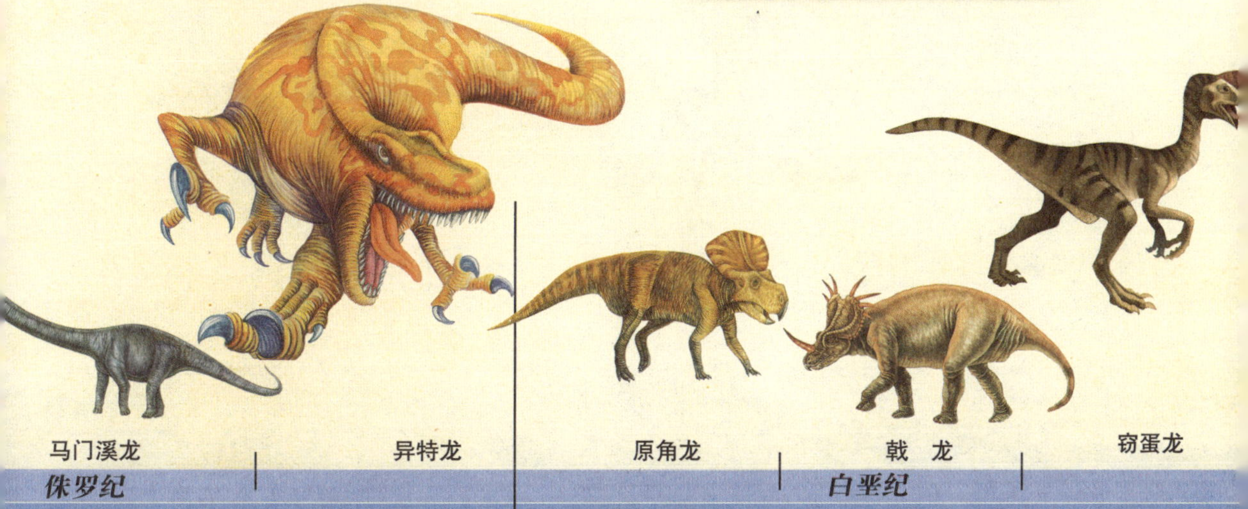

恐龙的分类

恐龙家族实在是太庞大了，已发现的约有350个属。为了更好地区分它们，科学家根据恐龙的臀骨特征将其分成两大类，即蜥臀目恐龙和鸟臀目恐龙。

腔骨龙类

腔骨龙类恐龙体形细长，为小型食肉恐龙，最早出现在三叠纪。

虚骨龙类

虚骨龙类恐龙是兽脚类恐龙中的主要类别，主要生活在白垩纪。

近鸟龙类

近鸟龙类恐龙与鸟类的祖先很接近。

兽脚亚目

原蜥脚类

原蜥脚类恐龙生活在三叠纪，以板龙为代表，是最早的植食性恐龙，它们在侏罗纪早期灭绝。

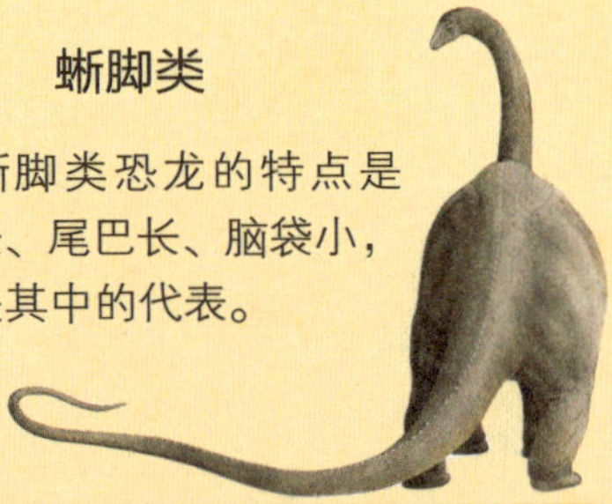

蜥脚类

蜥脚类恐龙的特点是脖子长、尾巴长、脑袋小，梁龙是其中的代表。

蜥脚形亚目

蜥臀目

剑龙类

剑龙类恐龙主要生活在侏罗纪，以身上的骨板和尾巴上的利刺为防御武器。它们的特点是身子大，脑袋小。

甲龙类

这类恐龙躯体扁平，几乎全为骨甲所覆盖，并以骨甲为防御武器，主要生活在白垩纪。

鸟脚类

鸟脚类恐龙生活在三叠纪中期直到白垩纪晚期。它们用强壮的后肢奔走，有的地方很像鸟，所以叫鸟脚类恐龙。

角龙类

这是生活在白垩纪晚期的恐龙，它们用于防御的角和骨钉长在头部，以植物的嫩枝叶和多汁的根、茎为食。

肿头龙类

肿头龙类恐龙生活在白垩纪晚期，头顶肿厚呈盔状。

装甲亚目

角足亚目

鸟臀目

恐龙的亲戚结构图

白垩纪末期，庞大的恐龙家族无声无息地灭绝了。人们要想了解它们，只能通过化石和它们的现代亲戚去揣测、想象了。

直系后代——鸟类

随着时间的推移，庞大的恐龙家族渐渐进化出有羽毛的恐龙。它们的身体覆满了羽毛，有半月形的腕骨，以及弯向后方的耻骨，锁骨融合而形成的叉骨，与现代鸟类的身体构造几乎一模一样。

远亲——鳄类和蜥蜴类

说起恐龙的远亲，常见的就是鳄类和蜥蜴类。中生代末期，地球上发生了一场生物大灭绝，很多大型动物都没能逃过这场灾难，翼龙、鱼龙、沧龙、蛇颈龙就是在这场浩劫中消失的。不过，也有一些动物逐渐适应了地球上动荡的环境，将血脉延续到了今天。

奇异的恐龙化石

一些恐龙死后，其尸骨在岩石中逐渐形成化石。通过研究这些化石，古生物学家可以得到关于恐龙的大量信息。

被埋藏的尸骨

动物尸体变成化石的情况是罕见的，大多数化石是在动物死于水中或靠近水边的情况下形成的。这样，尸体会被泥沙掩埋，成为沉积物。

这具剑龙骨骼化石几乎完整无缺，因而古生物学家可以很容易地推测它的外形

遗体化石

经过几百万年的演变，覆盖在动物尸体上的沉积物逐渐分层，慢慢地转变成岩石。岩石里的化学物质会从动物的骨头和牙齿的小孔里渗进去。这些化学物质以极其缓慢的速度逐渐变硬，于是，动物骨骼就变成了化石。动物身体的坚硬部分，比如牙齿和骨头等变成的化石，被称为“遗体化石”。

秃顶龙的头骨化石显示出其大脑所在的头骨后侧有广大的区域，这可能是秃顶龙有极高智商的证据

遗迹化石

古生物学家还发现了变成化石的恐龙足迹，甚至还有恐龙的粪便。这些化石被称为“遗迹化石”。

恐龙脚印化石

寻找恐龙化石

有时候，人们会在不经意间发现恐龙化石，但更多的恐龙化石是古生物学家在有计划的考察活动中发现的。这些考察活动常常需要持续数年，并在险恶的环境中深入展开。

到哪里寻找

化石常发现于沉积岩层中，因此，古生物学家常在中生代沉积岩中搜寻恐龙化石。

虽然大多数恐龙生活在陆地上，但它们的尸体往往

图为加拿大艾伯塔省恐龙公园。这里有大片裸露的中生代沉积岩，是搜寻恐龙化石的极佳场所

发现恐龙化石遗迹

会随着河流进入海洋，据此，古生物学家会到曾经存在过中生代海洋的地区展开工作。这些地区往往是寻找恐龙化石的极佳场所，古生物学家在这些地区收获颇丰，世界上恐龙化石的重大发掘成果大部分都在这些地区。

一具窃蛋龙骨骼化石在戈壁沙漠被发现。强风将戈壁沙漠中的岩石风化，这具化石便裸露出来了

极佳场所

寻找恐龙化石的极佳场所是那些岩石被大范围持续侵蚀的地区。那些地区往往是偏远的沙漠或裸露着岩石的地区，即人们所说的荒地。荒地大多是险峻、狭窄的山谷，同时也是不毛之地，这使得从岩石中露出的恐龙化石能轻易被发现。

隐蔽的化石

不幸的是，古生物学家并不能探察所有的中生代沉积岩。一些中生代岩层被深埋在其他岩层、土壤、水甚至建筑物底下。因而，有许多恐龙化石将被永远埋藏。例如，悬崖中的化石，可能在被人们发现之前就被冲蚀掉了。有些地方则因为战争、政治因素或恶劣的气候条件等而令人无法到达。

偶然发现

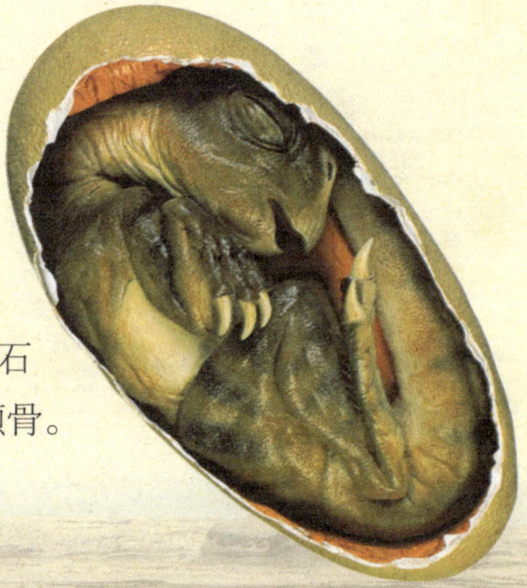

有些惊人的发现是由农民和修路工人偶然获得的。比如，之前的一项重大发现就与阿根廷巴塔哥尼亚地区的一个农民有关，他突然被一块不可思议的古生物化石绊倒，后来这块化石被古生物学家证实是某只超长恐龙的颈骨。

通过恐龙化石可以判断恐龙性别吗

如何依据恐龙化石判断恐龙性别，是多年来一直让科学家感到困惑的问题。许多科学家认为，鉴别恐龙性别是一项“不可能完成的任务”。

判断恐龙性别的关键

仅根据一块被发现的恐龙化石来断定它属于雌性恐龙还是雄性恐龙，是一件很困难的事情。恐龙体内的软组织是判断恐龙性别的关键，但软组织是很难被保存的，只有在特定环境下才能被保存下来。软组织一旦消失，就失去了判断性别的主要依据。除非找到恐龙蛋化石，但这样的情况是罕见的。所以，如何依据恐龙化石确定恐龙性别，是多年来一直让科学家感到困惑的问题。

判断恐龙性别的方法

有科学家宣称，可通过观察恐龙的大腿来判断其性别。科学家们找到了分辨恐龙性别的新方法——观察它们后腿上半部分的骨骼。他们观察了剑龙股骨形状上的差异，发现剑龙股骨的上端，有一定的个体差异。根据这种差异，他们可以辨别剑龙到底是雄是雌。

然而，未成年剑龙的股骨上端形态和成年雌性、雄性剑龙的都不同，剑龙骨骼形态的差异是在成年后产生的，因此，这种判断方法并不适用于所有恐龙化石的性别研究。

恐龙的群居之谜

在北美洲，人们发现了大量相似的恐龙脚印。人们还发现过一处被掩埋在一起的上百只慈母龙的遗迹。这些证据证明了这些恐龙可能是群居恐龙。

群居中的关系

恐龙足迹、群体坟墓等线索证明了有些恐龙是群居生活的。

恐龙的足迹化石表明，有些群居恐龙行走时，小恐龙会待在队伍中

间，成年恐龙则围在外面。受到攻击时，像三角龙这样头上长角的恐龙会站成一个圈，把小恐龙围在中间，同时把角指向敌人，就像今天的野牛一样。

恐龙群居的原因

许多恐龙群居是为了安全。多双眼睛总比一双眼睛更容易发现敌人，而且掠食者攻击一个移动的群体也比较困难。大型植食性恐龙的群居行为是为了自身安全，一些肉食性恐龙则是为了集体猎食。像轻巧龙这样的小型肉食性恐龙也可能是集体猎食的，这样它们就有机会捕获更大的猎物。

肉食性恐龙是如何捕食的

远古时候，恐龙是地球上的霸主，而在恐龙的世界里，肉食性恐龙才是真正的王者，但有些时候它们的生活可和“王者”这两个字不太相符。为什么这么说呢？因为那些肉食性恐龙并不是每天都能吃饱喝足地享受生活，在它们的一生当中，有可能大部分时间都是在忍饥挨饿。为了吃饱，它们想出了很多捕食办法，例如下面我们要介绍的两种。

群体猎杀

有一首歌叫《团结就是力量》，对一些小型肉食性恐龙来说，这首歌简直是为它们定做的。在恐龙王国中，大多数植食性恐龙都长得又高又大，对那些小型肉食性恐龙来说，那些巨大的植食性恐龙虽然性格温顺，但发起怒来也挺可怕的。靠单打独斗几乎无法成功捕食，所以它们就施行群体猎杀的策略。它们发现猎物后，伺机靠近，然后群起而攻之。小型肉食性恐龙大都善于奔跑，群起追赶或合围捕猎都是它们惯用的手段。猎物只要被它们追赶上或合围住，几乎就没有办法逃脱被无数尖牙利齿撕食的命运。

单独捕猎

除了团结合作，肉食性恐龙中也有一些独行侠。它们大多是大型肉食性恐龙。凭借尖利的爪牙和强壮的身躯，它们不用像小型肉食性恐龙那样群体捕猎，单打独斗就足以搞定大多数小型肉食性恐龙或者植食性恐龙。单独行动的好处是不用和其他恐龙配合，自由度比较高，可以任性而为，当然最大的优势在于独自享用食物，不用分给其他恐龙。这对一只饥肠辘辘的恐龙来说非常重要，要知道自身的食量非常大，分食的话可能导致自身吃不饱。暴龙就是独行侠之一，它们凶猛强悍，不仅猎杀大型植食性恐龙，就连小型肉食性恐龙也在它们的菜单上。

恐龙的行迹

足印化石是一种常见的恐龙化石，很多足印化石汇聚起来就是所谓的“行迹”。恐龙的行迹能告诉我们大量关于某些恐龙的信息。

鉴别脚印

想要断定某串足印是哪种恐龙的几乎不可能，但相同类别的恐龙的脚印有着相似的特征。因此，用脚印来判断该恐龙属于哪个类别是完全可行的。

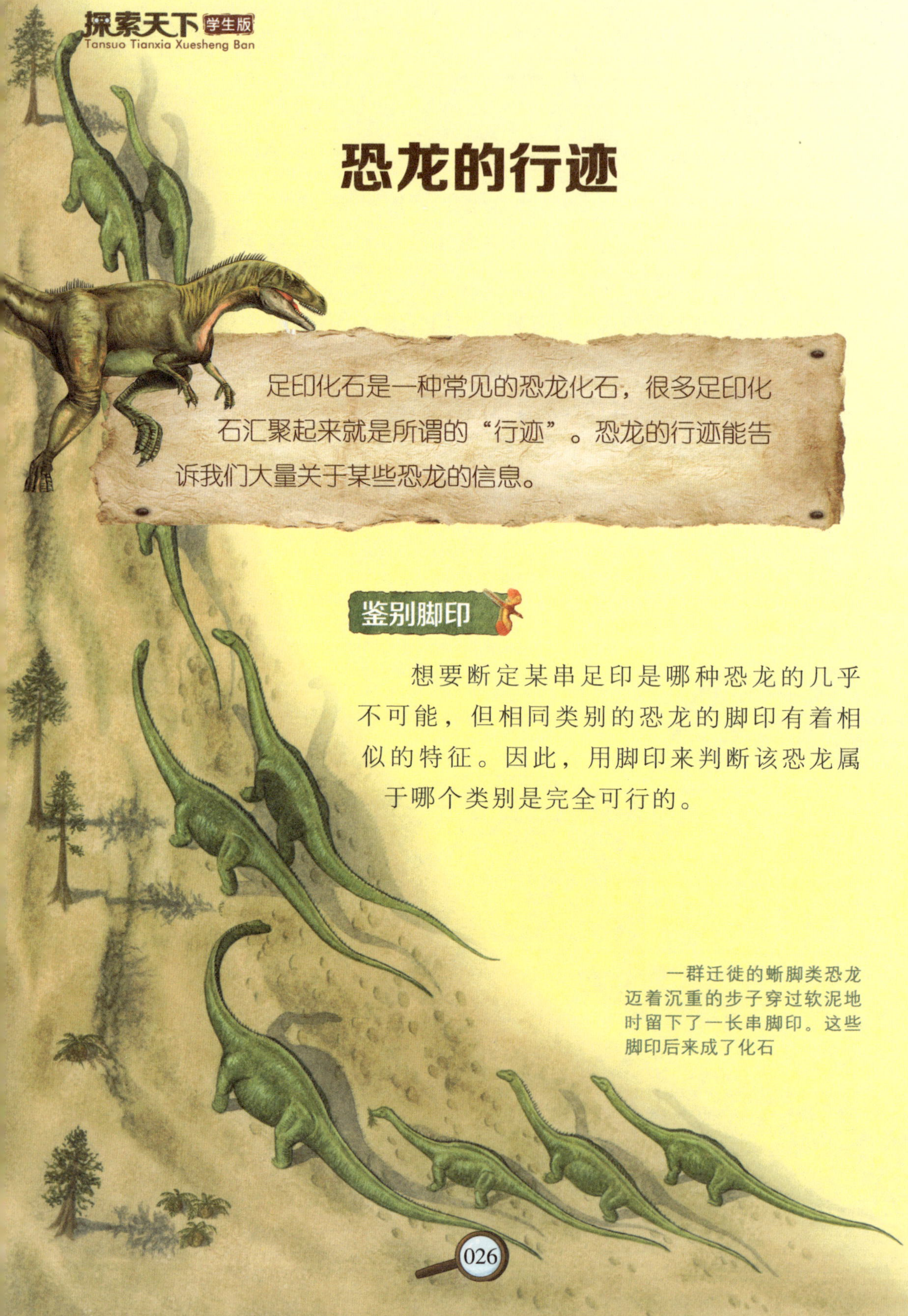

一群迁徙的蜥脚类恐龙迈着沉重的步子穿过软泥地时留下了一长串脚印。这些脚印后来成了化石

鸭嘴龙科脚印　　兽脚类脚印　　腕龙科脚印

足印化石

足印化石分布很广，至今已有很多足印化石在世界各地被发现，几乎没有分布规律可言，但是，最清晰的足印化石往往在曾经靠近河流、湖泊或海洋的地方形成。这是因为这些地区的土地平坦、湿润，并呈沙质，为足印化石的保存提供了优良的条件。

恐龙的逃亡

足印对我们弄明白恐龙是怎样行动的十分重要，有时候，一组表示行迹的足印化石能提供很多信息，甚至可以告诉我们发生在史前世界的一个完整的事件。

这串足印发现于美国的科罗拉多州，它们属于白垩纪早期的鸟脚类恐龙

古生物学家就曾运用足印化石，成功推测出一个与恐龙有关的事件：科学家在澳大利亚发现了一组足印化石，根据这些足印化石，他们推断在那里发生过一次恐龙集体大逃亡。

这是电脑重现的在澳大利亚发现的脚印以及可能发生的事件的全过程
①一群小型恐龙聚集在河床边
②大型猎食者慢慢靠近
③小型恐龙疯狂逃窜，纷纷从猎食者身边经过
④猎食者截住一只逃跑的小型恐龙，留下一系列大大小小的脚印

走，找恐龙去

要想更多地了解恐龙，就要到恐龙的聚居地去看看。我们无法穿越时空去和恐龙亲密接触，但我们可以到世界著名的恐龙化石遗址实地了解一下不同类型的恐龙生活在一起的状态。

加拿大艾伯塔省恐龙公园

加拿大艾伯塔省恐龙公园

这座公园以奇特的地形、丰富的化石层和罕见的沿河生态环境闻名于世。挖掘工作开展至今，已出土60多种不同类别的恐龙化石。

美国恐龙国家纪念公园

美国恐龙国家纪念公园位于美国犹他州和科罗拉多州交界处，是目前世界上最奇特的恐龙公园。古生物学家在这里清理出生活在大约1.5亿年前侏罗纪时期的圆顶龙骨化石。这里还有多个景点，吸引着来自世界各地的观光客和恐龙爱好者。

阿根廷的月亮谷

阿根廷的月亮谷及周边地区是一处三叠纪晚期的恐龙化石遗址。1993年，人们在月亮谷发现了最原始的恐龙之一——始盗龙的骨骼化

美国恐龙国家纪念公园

阿根廷的月亮谷

石。之后，这里就成了令科学家和恐龙爱好者向往的地方。

中国辽宁

中国辽宁恐龙化石遗址出土的恐龙化石大多属于白垩纪早期的恐龙。1996年，当地出土了世界上第一个带有原始羽毛的恐龙——中华龙鸟的化石，引起科学界的震动。后来，科学家又在这个地方陆续发现了尾羽龙和原始祖鸟等具有羽毛的动物的化石，为人们研究恐龙进化到鸟类的相关问题提供了丰富的资料。

中国辽宁古生物博物馆里的尾羽龙模型

发现恐龙化石

探索·发现：盘点奇异的恐龙化石

到目前为止，人们发现了很多恐龙化石。其中有一些化石非常特别，让人叹为观止。现在就让我们一睹为快吧！

恐龙“婴儿”胚胎

据统计，目前世界上有超过200个地方出土过恐龙蛋化石，但是极少有完整的恐龙胚胎被保存下来，这使得考古学家有时候很难辨别出它们的类别。

20世纪20年代，人们发现了一枚恐龙蛋化石，这件事在当时震惊了全世界，因为这枚恐龙蛋化石里面有完

整的恐龙胚胎。这让古生物学家对恐龙的认识更进一步，让整个恐龙研究领域都兴奋不已。

哺乳动物胃里的小恐龙

古生物学家在一种叫“爬兽”的哺乳动物的胃里发现了小恐龙的化石。这个发现大大地改变了人们以往对恐龙的认识：原来恐龙并非称霸地球的“王中王”，某些大的中生代肉食性哺乳动物强大到可以和恐龙争食争地，甚至在争夺中取胜，将恐龙变成自己腹中的美餐。

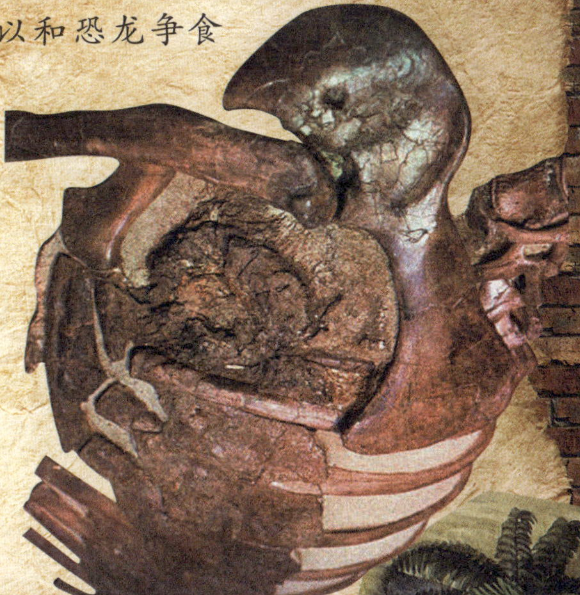

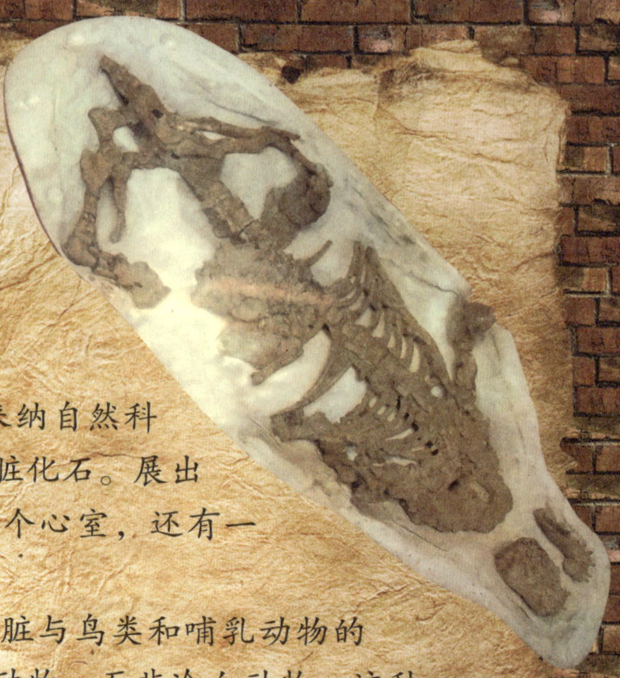

恐龙的心脏

2000年4月，美国北卡罗来纳自然科学博物馆展出了恐龙骨骼及心脏化石。展出的化石显示，恐龙的心脏有两个心室，还有一条主动脉血管。

研究者称，这种恐龙的心脏与鸟类和哺乳动物的相似，这表明某些恐龙是温血动物，而非冷血动物。这种说法真实与否尚待考证，但它却为恐龙“恒温动物论”提供了有力的佐证。

第二章

神秘的恐龙世界

Shenmi de Konglong Shijie

恐龙的诞生之谜

曾经，位于地球食物链顶端的动物是大名鼎鼎的恐龙。恐龙在地球上大约称霸了1.6亿年的时间，后来因为某些未知的因素灭绝了。所以我们现在只能通过化石来认识它们。我们知道了恐龙的结局，但是否有人想过它们是如何出现在地球上的呢？

生命起源于大海

根据科学家的说法，地球上的生命体大概出现于36亿年前，那时候地球上很热，热到什么程度呢？海水都整天冒泡，“咕嘟咕嘟”的，像是一锅煮沸的汤。不过，就在这么热的海水中，生活着无数单细胞生物。又过了数十亿年，地球温度降低，海水也不冒泡了，原来那些单细胞生物已经进化成早期的脊椎动物。长久地生活在大海里，这些动物觉得好无聊，于是某一天它们中的一些活跃分子决定到外面去看看，然后就爬上了岸。

爬行类可能是恐龙的雏形

这些爬上岸的动物豁然发现，原来外面的世界这么精彩。它们决定不回去了，于是就在陆地上定居。又过了好多好多年，早期的脊椎动物开始进一步进化为爬行动物。其中一些爬行动物虽然长得很小，但外表看起来和后来出现的恐龙非常相似。很多古生物学家认为，这些物种就是恐龙的雏形。

陨石带来的机遇

二叠纪时，爬行动物的种类渐趋多样化，而且有些动物的外形也开始接近最早的恐龙。二叠纪末期，地球上的环境变得很恶劣，原因是一颗陨石撞击在地球上，多数物种灭绝，这为恐龙的诞生提供了机会。这个时候，生物的演化出现了一种趋势，这种演化趋势就是恐龙出现。又过了很多年，到了三叠纪中晚期，经过漫长的、充满不确定性的演化，我们的主角——恐龙，终于出现了。至于在这个演化过程中，究竟是什么因素起到了决定性的作用，至今仍然是未解之谜。

恐龙的祖先是谁

在恐龙出现之前，地球上已经生活着很多爬行动物，它们有的长得高，有的长得矮，有的嘴长，有的嘴短，有的吃植物，有的吃动物……而恐龙的祖先就生活在这些爬行动物中。那么究竟谁是恐龙的祖先呢？

可能生活在三叠纪早期

古生物学家认为，恐龙的祖先可能生活在三叠纪早期，因为恐龙是三叠纪中晚期才出现的。在三叠纪早期，地球上生活着许许多多的动物，其中一些爬行动物最为繁盛，这是一个庞大的家族，在数量上占据着当时动物界的绝大部分。除了这些爬行

动物，还有一些种群比较小的非哺乳类爬行动物，它们数量虽然少，但几乎可以确定恐龙的祖先就生活在它们之中。

可能是槽齿类爬行动物

我们是通过化石才认识恐龙这种生物的，所以想要找到恐龙的祖先，最直接的方法自然就是研究化石。化石就像档案一样记录了生物的信息，古生物学家们凭借对大量古生物化石的细致研究，发现恐龙的祖先有可能是一种槽齿类爬行动物。这种爬行动物是早期爬行动物中的一类，因牙齿长在齿槽里而得名。它们在地球上生活的时间不长，自二叠纪末期出现，到三叠纪中后期就灭绝了。这种类型的爬行动物长得很像恐龙，后肢长，前肢短，能用后肢行走。

但槽齿类爬行动物的种类也不少，究竟哪一类才是恐龙的祖先，古生物学家们的意见很不一致。有些古生物学家认为是单一的种类演化成了恐龙，例如派克鳄和假鳄龙；也有些古生物学家认为恐龙的祖先不止一个，恐龙很有可能是由槽齿类爬行动物中的多个种类共同演化而成的。然而，时至今日，恐龙的祖先究竟是谁，古生物学家们依然没有给出确定的答案，但随着越来越多的古生物化石被发现，科学技术的水平越来越高，终有一天我们会帮恐龙找到它们的祖先。

恐龙是什么颜色的

我们都知道地球上的人类有不同的肤色，例如，生活在欧洲的人们大多有着白色的皮肤，而生活在非洲的人多数有着黝黑的皮肤，亚洲人则有黄皮肤。看到这里，你可能要问了：恐龙的皮肤是什么颜色的呢？

色彩暗淡论

相对于坚硬的骨头来说，皮肤很容易就腐坏消失了，所以，关于恐龙的皮肤是什么颜色的，古生物学家们很难得出准确的答案。于是，他们只能靠推测来想象恐龙皮肤的颜色。

传统的观点是“色彩暗淡论”。有些古生物学家参照大象的肤色来复原恐龙的肤色。他们的理由很简单，恐龙的身躯与大象的一样，庞大笨重，为

了保护自己，它们的皮肤一般较厚而且颜色暗淡。的确是这样，臃肿庞大的动物，肤色一般都比较单调灰暗。有人提出恐龙不是哺乳动物，而是卵生爬行动物，那么就看看凶恶的鳄鱼吧！它们的肤色也非常单调，大型爬行动物都没有绚丽多彩的肤色。大多数古生物学家持这种观点，此观点也有一定的说服力。因此，在自然博物馆和大型科幻电影中，臃肿庞大的恐龙都是土黄色或灰绿色的。

色彩鲜艳论

向传统观点挑战的是“色彩鲜艳论”，持这种观点的古生物学家认为，远古时期，恐龙是当时地球上的霸主，没有必要小心翼翼地保护自己。这些古生物学家的主要论据与“鸟类”有关，他们认为鸟类的祖先就是恐龙。恐龙虽然早已灭绝，但通过进化发展的鸟类繁衍至今。鸟类的羽毛色彩斑斓，那么，它们的祖先恐龙也应该有鸟类的基本特征——长有美丽缤纷的羽毛。

两种观点是对立的，谁也说服不了谁。于是出现了第三种中立观点，持该观点的人把对立两方的观点折中。他们提出，大型恐龙的肤色是单调暗淡的，而中小型恐龙则是多姿多彩的；食草恐龙的肤色是灰暗的，而食肉恐龙是色彩斑斓的；在同类恐龙中，雄性恐龙肤色鲜明，而雌性恐龙肤色单调。这种说法也无明确证据。恐龙到底是什么颜色的，目前还没有权威的结论。

恐龙是冷血动物还是恒温动物

古生物学家们除了争论恐龙的肤色，对恐龙是冷血的还是恒温的，也争得面红耳赤。其中一派认为恐龙是冷血动物，另一派则认为恐龙是恒温动物。现在请小朋友们来当一次裁判，听听两派古生物学家的辩词。

冷血动物说

为什么说恐龙是冷血动物呢？认同这一理论的古生物学家认为，既然鳄鱼、蛇都是恐龙的远亲，而它们又都是冷血动物，那么恐龙也一定是冷血动物。

但他们的这个论点根本站不住脚。因为冷血动物通常需要通过晒太阳来获得温度，例如蛇和鳄鱼，它们每天都要花很多时间晒太阳，以便让自己暖和起来。恐龙取暖也依靠晒太阳，这种说法讲不通。经推测，最重的恐龙达80吨，如此庞然

大物，如果仅依靠晒太阳来获取温度，则必须不断转动巨大的身躯，晒完一面再晒另一面，这简直无法想象！何况恐龙为了生存需要不断进食，食量非常大，总不能整天懒洋洋地晒太阳啊！

恒温动物论

另一派古生物学家认为上面的理论站不住脚，恐龙应该是恒温动物，就像现在的哺乳动物一样。根据进化论学说，有的恐龙是鸟的祖先。要知道恐龙也下蛋，和鸟一样。人们通过研究最近挖掘出的恐龙化石，发现有的恐龙化石上有软组织羽毛的痕迹，这进一步证明了恐龙与鸟类关系密切。鸟类是恒温动物，因此恐龙也是恒温动物的学说似乎也有道理。

然而就在他们扬扬自得时，“恒温动物论”却遭到了更大的质疑。

质疑还是来自恐龙的巨大身躯。是呀，最大的恐龙身高 9 米以上，身长 20 米以上，重量达 80 吨，这得需要一颗多大的心脏才能推动如此大量的血液流动，维持血液循环，满足身体各部位的需求哇！即使是最简单的血液循环系统，一经复原，也立即被人们否决，动物界绝不可能有这样的心脏能为其供血。

听了上面两派的争论，小朋友们是不是满头雾水了。不要急，虽然恐龙到底是冷血动物还是恒温动物现在还没有定论，但相信在不久的未来，古生物学家们一定能解开这个谜！

恐龙身躯庞大之谜

在地球物种进化的漫长过程中，不同时期的地质、气候及环境特征造就了不同特点的动物类型。巨大化就是其中一个重要的表现类型。现今生活在地球上的各类动物都有体形庞大的祖先。我们所熟知的恐龙更是这种巨大化的代表。无论是马门溪龙、雷龙、梁龙还是腕龙，身体长度二三十米非常正常，一伸脖子就能够到几层楼高的地方也不足为奇。恐龙为什么这么庞大？古生物学家们一直弄不明白。

氧气含量高会导致身躯庞大吗

为什么远古时代的恐龙会如此巨大？一部分古生物学家猜测这有可能与当时的大气含氧量有关。远古时代，地球大气层中的氧含量远远超出了今天

的标准。古生物学家们经过研究，得知高浓度氧气环境对生物的生长和进化有着巨大的促进作用。身体越大，所吸入的氧气越多，身体内部的血液、脏器也会获得更多的养分。如此一来，身体就长得越来越大。这听起来似乎挺有道理的，但另一部分古生物学家并不这样想。例如耶鲁大学古生物学家在鳄鱼身上做了实验，结果发现，在一定的高氧含量环境中生活的鳄鱼和在正常氧含量环境中生活的鳄鱼相比，前者个头更大，但并不是所有高氧含量环境下的鳄鱼都变大了，有些鳄鱼的身体并没有因此发生明显的变化。另外，侏罗纪时代并不是所有恐龙都是巨大的，由此可见，空气中氧含量高并不是恐龙身体巨大的主要原因。

长得越大越容易活下去

一般情况下，许多种类的动物倾向于将体形演化得越来越壮硕。这或许是因为长得越壮硕，那些比它们小的敌人就越难吃掉它们。这确实有一定的道理，毕竟在非洲的荒原上很少看到形单影只的狮子去攻击体形庞大的大象

或者犀牛。同样的道理，在侏罗纪时代，一只食肉的异特龙也不会愚蠢地去主动攻击身体硕大的成年梁龙。一些古生物学家通过对脑垂体的研究来说明恐龙身体庞大的原因。脑垂体是控制人体成长的内分泌腺，脑垂体分泌的生长激素过多会导致人类身体出现异变。有证据表明，许多恐龙都长着非常大的脑垂体，也许正是这些过大的脑垂体分泌了大量的生长激素才导致了恐龙的身体过大。

一生都在不停地长个子

我们都知道，人类成年以后身体就停止生长了。而许多爬行动物的身体在它们的一生中都在持续生长。作为和它们有着血缘关系的远古亲属，恐龙的身体也会不断生长。另外，除了这些自身因素，还要考虑到环境因素。恐龙生活的时代，地球上气候温暖，食物充足，恐龙们每天就是吃吃喝喝，自然长得越来越大。

太阳辐射说

除了上面的说法，还有一种说法是太阳辐射说。有的古生物学家认为在中生代，大量的太阳辐射能够到达地球，从而加速了恐龙的生长。

不过，究竟是什么因素导致恐龙身体的巨大化，古生物学家们见解不一，至今也没有一个统一的说法。

恐龙的寿命之谜

生老病死是一种自然规律，每种生物寿命的长短就是由这种规律决定的。科学家们曾经做过关于动物寿命的研究，还选出动物界十大寿星，例如，乌龟是地球上寿命最长的脊椎动物之一。看到这里你会不会好奇，远古时代的恐龙能活多久呢？

寿命长短取决于生长模式

动物寿命的长短，往往是与其生长模式有关的。非限定生长的动物，其寿命比限定生长的动物的寿命长。倘若我们把非限定生长模式用于对恐龙的研究，一些类群的恐龙从卵中孵化出来到成年所需时间分别是：原角龙需要26至38年；中等大小的蜥脚类恐龙需要82至118年；巨型蜥脚类，如腕龙，则需要100多年。如果成年后的恐龙能再活上同样长的时间，那么，腕龙就可以活300多年。

另一个影响动物生长速度的因素是它们的新陈代谢。平均说来，恒温的脊椎动物的生长速度至少要比冷血的脊椎动物的生长速度快10倍。

恐龙是恒温动物还是冷血动物是正确估算恐龙寿命的一个关键。如果恐龙是恒温动物，便可用恒温脊椎动物的生长模式来计算恐龙的寿命，那么它们可活几十年至100多年。如果恐龙是冷血动物，则可以活上更长时间。

生活太难，活不到天年

古生物学家通过研究得知，哺乳动物的正常寿命为其发育期的8～10倍，但动物的生存受各种环境因素的影响，一般不能达到自然寿命。如人类的自然寿命应在160～200岁，但实际上还没有人达到过这个岁数。恐龙也一样。

一些古生物学家在对某些恐龙的骨骼化石进行研究后发现，这些恐龙的死亡年龄在120岁左右。但没有证据能够证明它们是自然老死的，毕竟生活在野外，环境多变。很多恐龙都死于各种各样的意外。因此，并不能说明120岁就是恐龙的最长寿命。另外，恐龙变老之后也会像人类一样，身体出现各种各样的问题，比如体力下降，牙齿脱落，等等。在这种情况下，更容易被天敌猎杀，所以，在没有“养老保障”的环境中，恐龙是无法活到它们的最长寿命的。但不管怎样，现在还无法准确测定恐龙的寿命。

恐龙的性别之谜

科学家发现，一些爬行动物，如鳄类、大部分蜥蜴、绝大多数龟鳖类，其性别都是由卵的孵化温度来决定的。那么，恐龙的性别会不会也是由这个温度决定的呢？

温度决定性别

在讨论恐龙性别的决定性因素之前，我们最好还是先看一个关于美洲鳄的例子。毕竟相比已经灭绝的恐龙来说，生物学家对鳄鱼更容易观察和研究。

国外有一个研究美洲鳄的生物学家在《自然》杂志上发表过一篇很有趣的文章。文章内容是关于美洲鳄的性别成因的。他认为美洲鳄的性别并不取决于鳄鱼父母，而是和温度有关。这个生物学家经过大量的调查和研究发现：当外界温度≥34℃时，孵化出来的鳄鱼幼崽都是雄性的；而温度≤30℃时，孵出的都是雌性幼崽；孵化温度处于两者之间的鳄鱼幼崽则雌雄都有，但雌性多于雄性。

在生物界，雌性越多对于族群的

繁衍越有帮助。由此可见，美洲鳄筑巢地点的选择并不是盲目的。

性别失衡会导致恐龙灭绝吗

自从生物学家们发现了这一秘密之后，他们对更多的爬行动物进行了研究。最后发现蜥蜴、龟、鳖的性别也都是由温度决定的。这自然也让古生物学家们联想到远古时代就已灭绝的恐龙。毕竟恐龙也是爬行动物的一种，它们所繁育的后代是不是也由温度来决定性别呢？这种可能性很大。如果真是这样的话，一个事关种群延续的问题就出现了，因为一旦地球环境发生剧烈变化，例如温度忽然降低，那么恐龙族群中就会出现大量的雌性恐龙，反之则雄性恐龙占据多数，这种性别上的严重失衡所造成的后果就是整个种群的灭亡。

当然，这种温度决定恐龙性别的理论目前还处于未证实状态，究竟是什么决定恐龙性别，还要等古生物学家们继续探索和研究之后，才能得知。

恐龙之间怎样沟通

海里的鱼用摆动尾巴和吐泡泡的方式来表达它们的情感；小狗在选定的地方撒尿，表示它占据了这个地方；猴子露出下排牙齿表示高兴，露出所有牙齿表示生气，困惑时也会像人一样皱起眉头。那么，你知道恐龙之间是怎么交流的吗？

通过声音沟通

常言道：人有人言，兽有兽语。人类创造了生动的语言、优美的文字、丰富的词汇，用以交流思想，表达感情。而动物之间的交流方式也是五花八门的。由于大多数动物都能发出声音，这些声音往往成为动物之间交流的主要方式。例如蟋蟀能利用翅膀摩擦发出像乐曲一

般清脆动听的声音来表现它们的种种情绪。当雌雄蟋蟀相处时，声调轻幽，犹如情人窃窃私语；当独处一方时，它们就发出高亢的声音来招引朋友。

蟋蟀进行“沟通”

而对恐龙来说，叫声也可能是它们交流的一种方式。目前，古生物学家们还无法确定恐龙是否能发出声音，因为恐龙的肺部、喉咙和声带都在漫长的时间中变为了尘土。我们没办法通过研究化石来找到恐龙能发声的证据，不过古生物学家们通过研究不同恐龙的脑颅，发现这些恐龙很可能有良好的听觉。这也从侧面证明恐龙或许能通过叫声来交流。

用气味来传递信息

有些动物常常以特殊的气味来达到吸引异性、追踪目标、鉴别敌友、发出警报、标明地点、集合或分散群体等目的。气味虽然没有声

响，但也算是一种语言。例如，蜂王通过分泌一种唾液，产生气味，招引工蜂来为自己服务；雌蛾产生的气味能引诱距离它很远的雄蛾；蚂蚁利用嗅觉彼此进行联系，识别同窝伙伴；雄鹿在求偶时，会用身上的芳香腺往树上擦，这样，树上便留下了它的气味，于是，雌鹿闻到这种气味以后就会循踪而至。

古生物学家们根据现存的恐龙化石推测，大多数恐龙都有巨大的鼻腔。由此推断，它们的嗅觉有可能非常灵敏，而具备强大的嗅觉，除了在捕猎时便于追逐猎物，更大的功能有可能是根据彼此身上散发出的气味来进行交流。举例来说，某只恐龙嗅到另一只恐龙身上有它不喜欢的气味，那么可能意味着靠近对方会有危险，于是它就逃得远远的。

当然，这些也只是古生物学家们的猜测，除了上面所说的两种交流方式，恐龙或许还有行为动作上的交流方式。总之，有关恐龙交流的所有理论目前还都是猜测。

恐龙会游泳吗

2007年，法国南特大学古生物学家在西班牙卡迈罗斯盆地一个湖泊旧址的底部发现了一些恐龙足印化石。这些特别的印痕显示，当恐龙触到湖底时，其身体会受到水的支撑。由此，古生物学家们开始对恐龙会不会游泳展开激烈的辩论。

正方：会游泳

根据正方古生物学家的介绍，恐龙应该都会游泳，即使它们的泳姿可能并不优美。想想大象或者河马，虽然它们看起来根本不像游泳高手，但它们的泳技照样出色。恐龙游泳源自本能，与河狸或者鸭子一样。它们游泳可能是为了在水中觅食，躲避天敌，寻求清凉，从此岸游到彼岸，甚至游过一条河或海湾到达有着更多食物的地方，当然还有其他目的。和所有爬行动物一样，不管是在水中还是在陆地上，恐龙都需要呼吸空气，而且一定要有规律地呼吸。这意味着它们也一定有浮力，因此它们可以浮在水面上而不是下沉或溺水。

反方：不会游泳

持相反观点的古生物学家认为，被正方用作证据的那个在湖底发现的恐龙足印化石并不能说明恐龙会游泳。为什么这么说呢？因为这只在水中留下脚印的恐龙似乎并没有一定要下水游泳的理由：第一，恐龙时代当地植被丰富，食物充足，不需要涉水到对岸去寻找食物；第二，就算气温高，恐龙也不一定有下水洗澡的习惯；第三，这只恐龙没有遭到肉食性恐龙追捕的痕迹，不需要下水躲避敌人。那么脚印是怎么来的呢？举个例子说明，下雨天，路面上有很浅的小水洼，有些人会迈过去，而有些人则会踩过去，选择踩过去的人自然会在水洼上留下痕迹。同理，远古时期恐龙个头巨大，特别是脖子能达到十几米长，这些优势都可以保证恐龙涉水而过时，头部在水面之上，而脚踏着水底的泥土，就像我们涉水穿过浅浅的小河。显然这并不能算游泳。

辩论赛进行到这里，正反两方的古生物学家们已经争吵得面红耳赤了，但谁也不能说服对方。我们只能将这一谜团交给未来的研究者了。

恐龙涉水想象图

恐龙的大鼻子之谜

对于恐龙这种已经灭绝的物种，古生物学家一直都抱以极大的热情来研究。这不，他们又开始研究起恐龙的鼻子来了。

鼻子靠前还是靠后

以前大多数古生物学家都认为恐龙的鼻子是很靠后的，也就是说更靠近眼睛而非嘴巴。为什么这么认为呢？这一观点要追溯到19世纪80年代，当时古生物学家们认为恐龙这么巨大的生物必须生活在水中，依靠水的浮力才能支撑自己的身体。这样一来，它们的鼻孔就要像鲸鱼一样长在头顶上。

研究恐龙鼻孔的位置是很困难的。后来，古生物学家们开始通过研

究鳄鱼来推测恐龙鼻孔的位置。因为鳄鱼是现在世界上与恐龙血缘关系最近的动物。古生物学家们发现鳄鱼的鼻孔更加靠近嘴巴，而非眼睛。X射线和解剖证明了这一观点。加上对一些化石的研究，他们最终推测出恐龙的鼻子应该更靠近嘴巴。

用来调节温度还是吸引异性

长期以来，古生物学家们一直认为恐龙虽然长了一个大鼻子，但实用价值很小。近些年，一些古生物学家经过反复考证得出结论：恐龙的鼻腔非常大，几乎占据了头颅体积的一半以上。而这样大的鼻子不可能只是摆设。它的主要作用可能为两种，一种作用是调节脑部温度。据美国俄亥俄州立大学进化生物学家劳伦斯·维特米尔说，恐龙的鼻腔主要是被当作“空调”使用，避免颅内温度太高损伤大脑。当恐龙进行剧烈运动时，血液沸腾，体内温度飙升，这时，为了避免脑子被烧坏，恐龙就会通过鼻腔急促呼吸，这样，外界的冷空气通过鼻腔就带走了很多热量。另一种作用可能是为了吸引异性。

上面这些说法听起来似乎都很有道理，但毕竟只是猜测，还有一些古生物学家认为如果真是为了散热的话，恐龙的鼻子大小就应该和体形成正比。但事实上有些身躯庞大的恐龙，它们的鼻子虽然也不小，但完全配不上它们巨大的身体。所以，恐龙为什么要长一个大鼻子还是一个谜。

但不可否认的是，恐龙能够适应地球上千变万化的自然环境，敏锐的嗅觉对它们来说起到了重要作用。靠近嘴巴并且较长的鼻子，使恐龙具有比较高级的呼吸系统，有助于它们成为庞然大物，并且长期占据着地球“霸主”的地位。

恐龙身上长满鳞片吗

2015年，有一部叫《侏罗纪世界》的电影在全球获得了超高的票房。不过，一些古生物学家认为，这部电影中的情节会让人们对这一侏罗纪时代的生物产生误解。因为这些古生物学家认为恐龙身上是长有羽毛的，而不是长满鳞片，但随后，另一些古生物学家立刻反驳，他们认为恐龙身上就是长满鳞片。

恐龙身上长满鳞片

我们知道多数爬行动物体表都覆盖着角质化的鳞片或真皮衍生的骨板、骨片。例如蛇、蜥蜴和鳄鱼。蛇和蜥蜴的鳞片形态各异，有的呈结节状，有的呈盘状，相互叠加在一起。此外，它们的鳞片都拥有不可思议的

对称性。由此可推断，远古时期在地球上居于统治地位的恐龙，它们的身上肯定也长满鳞片。迄今发掘的几例恐龙皮肤化石表明，它们身上长着鳞片，这些鳞片嵌入其厚厚的粗糙的皮肤之中，许多恐龙的鳞片似乎都呈六边形，就像一个个蜂房一样，这些鳞片能保护恐龙免受敌人锋利的牙齿和爪子的袭击，当然也可以阻挡吸血蚊虫的叮咬。

恐龙身上披着羽毛

而另一些古生物学家之所以认为恐龙身上披着羽毛，是因为鸟类起源于恐龙，而很多恐龙化石也有羽毛的痕迹，很多古生物学家据此推测长有羽毛是恐龙的特征。参与发现了20种恐龙化石的古生物学家詹姆斯·柯克兰德认为：许多恐龙实际上都是身披羽毛的。近年来在北美洲、中国和德国发现的恐龙化石也证明，很多恐龙身覆羽毛，且羽毛颜色很鲜艳。

到目前为止，恐龙身上究竟长着鳞片还是羽毛仍没有定论，除非有更有力的证据出现，否则这将是一个无法破解的谜。

恐龙族群的出现与壮大之谜

是什么导致恐龙的出现并使其在很长一段时间内成为地球的霸主呢？古生物学家纷纷猜测其中的缘由。

猜测一：燥热的气候

恐龙出现的时候，陆地的大部分都受到阳光的直射，因此气候比今天更炎热。这种环境对恐龙而言或许非常适宜。

猜测二：适宜的环境

三叠纪时期的化石表明，大部分恐龙生活在海岸、相对湿润的地区和灌木丛等地，只有少数在沙漠里生存。三叠纪时期的海洋环境，或许为

恐龙的生存提供了极适宜的条件。

猜测三：时代造就

恐龙在三叠纪中晚期出现，它们和许多大型食肉动物、食草动物生活在一起。最初的恐龙十分弱小，被体形大过它们数倍的似鳄祖龙捕食。但到了三叠纪末期，恐龙的体形开始增大，能双足行走，身体能够保持直立，步伐更大，行动更加敏捷。它们不仅数量增多，还出现了以前从未出现过的新种类。与此同时，恐龙的克星似鳄祖龙开始减少。

很难说究竟是哪种因素促使恐龙族群开始繁荣，或许是在多种因素的作用下，恐龙的时代来临了！

侏罗纪恐龙兴盛之谜

我们都知道恐龙从三叠纪中晚期开始出现，横跨侏罗纪，到白垩纪末期灭绝。但我们一提到恐龙，首先想到的就是侏罗纪，提到侏罗纪的时候，首先想到的也是恐龙。为什么会这样呢？这是因为侏罗纪是恐龙族群最繁荣的时期。看到这里你可能会产生这样的疑问，为什么是侏罗纪呢？三叠纪和白垩纪为什么不能成为恐龙的盛世？

侏罗纪得名原因

侏罗纪是一个地质年代，是中生代的第二个纪，界于三叠纪和白垩纪之间，名称取自法国、瑞士边界的侏罗山。在这段时期，超级陆块开始

分裂，大西洋形成，非洲开始从南美洲裂开，印度漂向亚洲。地壳的巨大变化必然引发生物界的变革。

果不其然，这一时期地球生物界出现了一些引人注目的重要事件，翼龙类和鸟类出现，哺乳动物开始发展，等等。与此同时，恐龙家族兴盛起来，它们体形庞大，擅长猎食，在很短的时间内，就迅速成为陆地的统治者。

恐龙盛世

侏罗纪是恐龙的鼎盛时期，在三叠纪出现并发展的恐龙在侏罗纪迅速成为地球的统治者。各类恐龙称霸地球，构成一个千姿百态的恐龙世界。植食性恐龙和肉食性恐龙各据一方，成为生物界声名赫赫的王者。

究竟是什么因素导致恐龙在短时间内称霸呢？古生物学家们各执一词，无法下定论。

恐龙盛世的出现可能和气候有关

尽管恐龙盛世成因不明，但气候因素可能是侏罗纪时期恐龙兴盛的一大诱因。

三叠纪中早期，由于受到剧烈地壳运动的影响，气候炎热干燥，植物稀少，食物短缺，大批的动物饿死。这一特殊的气候正是三叠纪中早期尚不足以成为恐龙盛世的主要原因。而三叠纪晚期的燥热气候和海洋湿气，为恐龙的生存繁衍提供了保障。

到了侏罗纪时期，气候发生了巨大的变化。这时候各地气候温暖湿润，植物繁盛。植物的繁盛，为数量众多的恐龙提供了生存所需的食物。丰沛的雨水降落在地面上，形成河流湖泊，正好迎合了很多恐龙喜水的特性。恐龙在侏罗纪时期获得了最好的发展，生活得最惬意。

气候因素应该并非侏罗纪时期恐龙兴盛的唯一因素。目前，古生物学家正在就侏罗纪各项指标做综合研究。相信在不久的将来，我们一定能够揭开侏罗纪恐龙兴盛之谜！

恐龙蛋中有恐龙的DNA吗

一位科学家从一只吸了恐龙血、嵌于树脂化石中的蚊子身上提取出恐龙的DNA，成功复制出恐龙，并最终建成了一座恐龙公园，这是电影《侏罗纪公园》中的情节。在现实生活中，恐龙这个灭绝了上千万年的物种，让人们对它充满好奇，甚至有人想要复活这个史前巨兽。然而，蚊子吸了恐龙血毕竟是电影中的情节，那么，从恐龙蛋中能提取出恐龙的DNA吗？

恐龙蛋里有什么

我们都知道恐龙是从蛋里孵化出来的，恐龙蛋里面只可能有两种东西：一种是受精卵，一种是还未成形的恐龙幼崽。当然，现在能够被我们发现的恐龙蛋，就算是砸开里面可能也只剩下了石头。不过也有例外，我国河南出土的一批恐龙蛋化石中，有一枚被意外摔开，科学家们在蛋里发现了絮状物，用手触摸，柔软疏松、略微潮湿、富有弹性，有点儿像点钞票用的湿海绵。此事件被媒体报道后，引起了一些古生物学家的注意。经过一系列研究，他们宣称从中获取了恐龙的基因片段。但随后，另外一些古生物学家立刻反驳说那枚恐龙蛋具有先天性缺陷，它在落地摔破后长达数月的时间里，一直暴露在空气中，其间还曾在一些地方公开展出，不知有多少人直接用手触摸过蛋腔内的絮状物。因此该蛋化石腔内的絮状物已经受到外源生命物质的污染，不适合用作恐龙DNA研究的材料。

恐龙蛋毕竟是珍贵的化石，没有人会为验证里面是否含有恐龙的DNA片段专门打碎它。也许某一天，某个恐龙蛋中真的能检测出完整的恐龙DNA。但目前我们能做的只能是等待。

真的能用恐龙蛋复活恐龙吗

话又说回来，现在世界上陆续有地区发现了大量的恐龙化石或恐龙蛋化石，有人不禁要问，在如此多的化石之中就不能获得一个完整的恐龙DNA吗？答案是很难。就算人们寻找到含有DNA的化石，但这些化石中只有遗传密码中非常小的一段，并不包含所有关键基因。所以，要想运用存留下来的古老DNA来复制恐龙，不太可能实现。

古生物学家们认为：在现有的知识与技术条件下，即使有一套完整的恐龙DNA，也不可能复制出恐龙胚胎。现有的克隆技术包括核移植及干细胞技术都是在细胞水平上操作的，即首先必须有可操作的活细胞。而DNA只是一种含有遗传信息的化学分子，即使将其导入到一个受体，如一个去核的细胞中，也很难保证其上所包含的数万个基因的正确表达。

恐龙孵化模拟图

恐龙蛋化石

此外，科学家们证实DNA只需680万年就会完全分解。就算在理想条件下，最多经过680万年，这些DNA中的化学键就会分解得一个不剩。而早在那之前，可能只要150万年，这些化学键就已经破碎得完全无法解读了。不要忘了，恐龙可是在6500万年前灭绝的。所以，就算恐龙蛋里真的含有DNA，只怕我们也无法复活恐龙。复活恐龙可能只能是我们一个美好的愿望了。但是，随着科技和生命遗传工程的日益进步，我们会找到更有效的复原手段也未可知。只是到那时，放任如此庞然大物横行于世，大家不免又要为自己的人身安全多做考虑了！

恐龙蛋之谜

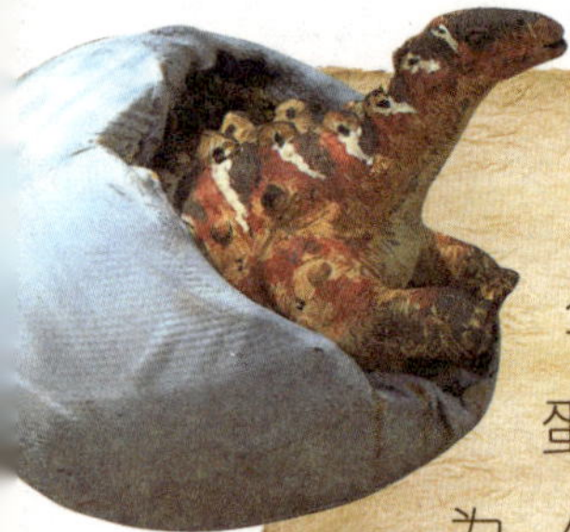

恐龙蛋化石是非常珍贵的古生物化石，最早于1859年在法国东南部普罗旺斯的白垩纪地层中被发现。恐龙蛋化石的发现和研究，对于揭示恐龙的繁殖、习性、行为、生存环境和灭绝原因具有重要的意义。和恐龙一样，恐龙蛋身上也有着一些难以破解的秘密，例如下面我们要讲的几条。

恐龙蛋化石扎堆之谜

1993年，科学家在我国河南省南阳市西峡县发现了大批恐龙蛋化石。在这以前，人类总共才发现了500多枚恐龙蛋化石，而这次西峡出土的恐龙蛋化石多达5000多枚，没有出土的估计还有上万枚。一时间，世界都为之震惊。为什么那么多恐龙都跑到西峡来生蛋呢？科学家们推测，恐龙喜欢在水边以及向阳、地势较高的地方下蛋。西峡恰恰就符合了这些条件。古地质时代的西峡是一个盆地，湖泊沼泽很多，气候温暖湿润，适合恐龙生存。但奇怪的是，当地竟然连一具恐龙化石都没有发现。通常来说，繁殖的地方肯定也是恐龙活

动频繁的地方，只有恐龙蛋化石，没有恐龙化石，有点儿解释不通。如果说因为西峡的环境适宜恐龙产卵，那其他一些环境也很适宜的地方为什么没有恐龙蛋化石呢？

到目前为止，西峡恐龙蛋化石扎堆之谜并没有被解开。

为何大恐龙生的蛋很小

恐龙是一种卵生动物。那么，是不是成年恐龙长得越大，它们生的蛋也会越大呢？事实不是这样，就算最大的恐龙蛋也只比鸵鸟蛋大一点儿而已。这和动辄几十吨重，身高几十米的成年恐龙相比简直太小了。古生物学家一直在研究为什么那么巨大的恐龙生出来的蛋却很小。

有一种解释是，这可能与恐龙蛋需要更长的孵化时间有关。

通常，一个鸵鸟蛋的孵化时间大概是42天，而孵化一只恐龙蛋需要65～82天。许多鸵鸟蛋会在孵蛋期丢失，比如被偷吃鸟蛋的蜥蜴掳走。可以说，孵蛋期是鸟类丢蛋的高峰期。而这对于生活在6500万年前的恐龙来说也不例外。

漫长的孵化时间对小恐龙的孵化非常不利。那些视恐龙蛋为美食的掠食者，还有恶劣的自然环境，都是恐龙蛋的“天敌”。恐龙蛋孵化的时间越长，就越有可能遭遇外界的“黑手”。因此，为了让小恐龙成功孵出来，恐龙在进化过程中掌握了许多方法，比如，让雌性恐龙更加“尽忠职守”地来守护自己的蛋。让蛋长得小，也是一种保证恐龙蛋顺利孵化的好方法，因为蛋长得小有利于隐藏，也有利于成年恐龙对其进行保护。

还有一种说法是，小点儿的蛋对雌性恐龙来说更容易生出来，一个巨大的蛋在生产的时候会非常困难。不过，这并不是说蛋长得大就一点儿好处也没有。蛋长得大，孵出的恐龙也会长得大，其头颅、爪子也会大，这无疑对它们今后的生存是有利的。但是，这必须以它们可以成功孵化出来并长大为前提，如果孵不出来，蛋再大也将毫无意义。所以比起“大蛋”生存策略，“小蛋”生存策略似乎更加靠谱。

当然，上面所有理论依据都是在尚未发现巨型恐龙蛋化石的前提下产生的，如果有朝一日古生物学家们挖掘出巨型恐龙蛋化石，那么上面的猜测恐怕都要被推翻。

恐龙产卵数量之谜

到目前为止，古生物学家们还无法统计每种恐龙一次产卵的数量。因为有很多恐龙的巢穴并没有被找到，而且还有些恐龙妈妈每次都是边走边产卵，所以，恐龙到底一次产多少枚卵，实在是无法计算。不过，有些恐龙还是悄悄地“透露”了自己每次产卵的数量。在蒙古国出土的一个完整的原角龙巢穴中，人们发现了20枚相同的蛋，似乎可以证明是恐龙妈妈一次产下的。不过，恐龙毕竟是一个庞大的种群，没有人能逐一查证每种恐龙一次的产卵数量。但古生物学家们比较倾向于认为它们产卵数量较多。因为恐龙和鳄鱼等爬行动物一样，应该都具有两套生殖系统，这种生理特征决定了它们的产卵数量较多。

恐龙会得癌症吗

有句俗语说：人吃五谷杂粮，都会生病。这句俗语放在恐龙世界中也说得通。别看恐龙身躯庞大，样子凶悍，可它们也一样会饱受疾病的困扰。

被骨质增生和关节炎困扰

古生物学家们发现，在他们所研究的恐龙骨骼化石上，常常显示有疾病和外伤的痕迹。这证明恐龙在世时也常常生病。是呀，设想一下，肉食性恐龙为了填饱肚子要捕食植食性恐龙，植食性恐龙为了逃避肉食性恐龙，只能亡命奔跑。在这个捕食与被捕食的过程中，想必会有很多恐龙受伤，皮外伤、骨折之类的伤病在所难免。

在成都理工大学博物馆的大厅里，陈列着一具巨大的合川马门溪龙化石骨架。专家发现，在这个庞然大物的颈椎、脊椎和尾椎等不同部位的骨头上，长了很多瘤状物和结核。这些骨质增生物附着在它的骨头上，可见这头可怜的马门溪龙生前曾为骨质增生所困扰、折磨。

除此之外，还有一位美国医生说，他发现在一块长30厘米的恐龙肱骨化石的一端，长有一块像人的拳头大小的菜花状骨质增生物，这种异常

的增生可能是软骨肉瘤。而陈列在美国自然历史博物馆中的鸭嘴龙化石骨架上，左肱骨曾骨折，从而引起骨膜炎，而且有骨质增生现象。而在该馆的巨型恐龙——雷龙的尾椎骨上，则能看到其生前患过化脓性骨髓炎的痕迹。

古生物学家们通过研究现有的恐龙化石，发现大多数恐龙可能都患有不同程度的关节炎。毕竟它们身躯庞大，骨骼要支撑沉重的躯体，负担很重，加上要应付各种恶劣环境，以及剧烈运动，所以关节炎基本上是恐龙身上标配的疾病。

恐龙会患癌症吗

上面我们所讲的都是骨科类疾病。骨科病是目前所知的恐龙最易患的病。这是为什么呢？很简单，因为恐龙留下来的化石几乎都是骨架，所以只有骨科疾病才能留下明显的“病历”。那么，恐龙会不会患上其他更严重的疾病呢？例如可怕的癌症。

不久前，科学家用X射线对恐龙的脊椎骨进行了系统扫描调查，在它们身上发现了和现代人类所说的肿瘤相似的物质。被扫描的是一具长达25英尺的惧龙化石。这具化石于1997年被发现于美国西蒙大拿的提顿县。古生物学家认为这个肿瘤属于癌性肿瘤，但还不能确定。这是古生物学家第一次在恐龙和其他物种化石中发现肿瘤。这表明，癌症可能一直存在于生物界。当然，这些都只是推测，实际情况如何，短时间内还无法确定。

恐龙的智商如何

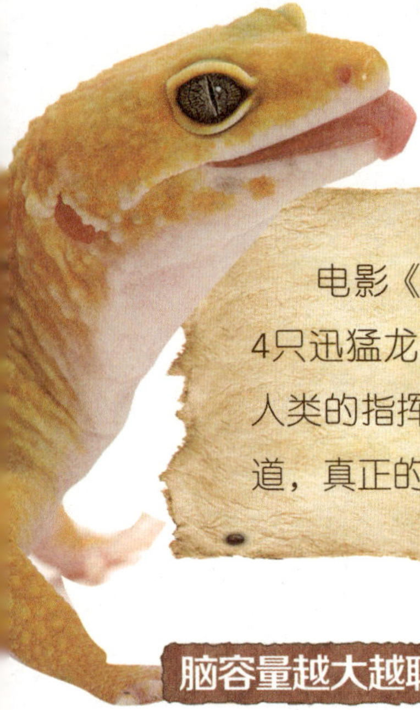

电影《侏罗纪世界》中有这样一个情节，人类训练的4只迅猛龙去寻找逃跑的暴龙。迅猛龙像猎狗一样，听从人类的指挥，看起来非常聪明。看到这里，你会不会想知道，真正的恐龙是不是也这么聪明呢？

脑容量越大越聪明吗

近来，动物学家对地球上动物的智商进行了比较和研究，结果表明，动物的脑容量越大，就越聪明。脑容量大的动物比脑容量小的动物更能驾驭周围的环境。

动物需要拥有足以适应周围环境和能在这样的环境中生存下来的智力。陆地上的大象，海洋里的鲸类，都需要生长出更发达的大脑和神经系统，以便控制好庞大身体上各部位的活动和感觉。相对弱小的动物则不需要复杂的神经传导系统，就能完全控制好身体的各个器官。在千百万年的生物

进化中，大型动物就是因为脑容量较大、神经系统较发达，从而逐渐进化得比体形小的动物聪明。

在恐龙世界中，暴龙的头部比例比鸭嘴龙的头部比例大，脑容量也大，因此，暴龙要比鸭嘴龙聪明一些。这些肉食性恐龙拥有相对较大的大脑，是因为它们需要有更敏锐的视力和更好的肌肉协调能力来帮助它们寻找更多捕获猎物的机会。

不过，这个理论遭到了不少质疑。很多古生物学家认为脑容量并不是衡量动物智商的唯一标准。例如，蓝鲸的脑子很大，体积几乎是人脑的10倍，但是它的大部分脑区都用来控制身体的基本运动了。动物个体越大，那些用来控制身体感觉和运动的脑区也就越多，能用来思考的脑区也就越少，所以只看脑容量是没用的，重要的是要考虑脑容量和体形的比值。

如何测算恐龙的智商

恐龙的智力是如何测算的呢？“脑量商”（脑形成商数）是测量恐龙智商的一把尺子。恐龙的“脑量商”是用现在爬行动物的平均脑量，按照一定的计算方式测算出来的每一种恐龙的脑量比率。

因为考虑了不同动物的身体和大脑所占比例，所以这比直接用脑容量除以体积的计算方式要更精确，更能反映客观实际。那么，如果按照此方法测算，人类的脑量商大约是7.5，海豚的约为4，黑猩猩的约为2.5，狗的约为1.2，猫的约为1.0，等等。当然，这个指数

也不能完全反映出动物的智力，比如海豚的脑量商虽然很高，但是它们的大脑结构太原始了，导致它们还是不如黑猩猩聪明；代表恐龙测算智力的是暴龙，最后的测算结果却出人意料，这个一直以凶猛面貌示人的恐怖生物的脑量商竟然不超过0.2！所以说，暴龙大概是比较笨的。

用暴龙的智商数据来代表所有种类的恐龙的智商显然不公平，但想要测算出各种恐龙的平均水平，以现在的技术手段还无法达成，毕竟它们生活的年代实在太遥远了！

如果恐龙幸存，它们的智商会超过人类的吗

资料显示，刚刚站立行走的原始人类虽然比同时代的其他动物聪明一些，但其智力与现代人类却无法相比。生活在亿万年前的恐龙的智力虽然不值一提，可

它们会不会像人类一样随着时间的推移，智力慢慢提高呢？如果有部分种类的恐龙在6500万年前的大灭绝事件中幸存下来，那么它们的智力又会如何呢？对此，古生物学家们提出了一个大胆的假设：一种体形大小与人类差不多的恐龙，其智力程度与羚羊的相仿，如果它们有机会经历一个数百万年的进化过程，那么其大脑最终就有可能进化得与人类的不相上下。但可惜的是，它们还没来得及进化就从地球上消失了。这种说法正确与否，我们无法查证。

恐龙交配之谜

恐龙研究开展至今，人们取得了不少研究成果，但是古生物学家至今对恐龙的交配知之甚少。雄性恐龙和雌性恐龙是怎样走到一起，并且开始繁育下一代的呢？

生殖结构成谜

鸟类和鳄鱼等都有繁殖腔，有的古生物学家认为，恐龙应该也有，用于排泄和繁殖。然而，古生物学家至今都没有找到任何证据来表明恐龙有这样的器官存在。恐龙的生殖结构依然是个谜。

关于恐龙的交配地点，有的古生物学家认为大多数恐龙之间的交配是

在水中进行的，因为它们需要水来承托自身的重量。有的古生物学家则认为恐龙不必克服重量问题。双方争执不休，看法难以一致。

缺乏交配证据

恐龙的交配证据无法成为化石，而且古生物学家尚未发现任何有交配行为的恐龙化石痕迹。现今能看到的恐龙化石上甚至几乎无法留下恐龙的软组织。所以，古生物学家对于恐龙是如何交配的这个问题了解甚少。

古生物学家认为大部分恐龙的生命都诞生于一个恐龙蛋，但他们对恐龙繁殖的了解就仅限于此了。

在恐龙生活的时代，两只热恋的恐龙交配的情景应该是随处可见的。那么，是否有化石记录着这样的场景呢？古生物学家正在寻找答案，让我们拭目以待吧！

恐龙抚养后代之谜

生育和繁衍对生物物种的延续意义重大，恐龙也不例外。特别是对恐龙妈妈们来说，养育下一代是它们一生中最重要的一件事情，它们从成年开始就时刻准备着，无论是筑巢还是保护自己的蛋，都是它们的天性，深深地根植在它们的血脉里。古生物学家对恐龙妈妈们的养育行为非常感兴趣，不过，因为样本不够，证据不足，有关恐龙生养的内容大多数都是推测。

自己孵蛋还是依赖阳光

在每年的繁殖季节，恐龙妈妈们都忙得不可开交。为了迎接新生儿的到来，它们首先要精心选择一个地方，以便产蛋。什么样的地方算是好的筑巢之地呢？首先要光照适度、地势较高，其次要土质松软、干燥，另外还要选择安全系数较高的地段。符合这些条件的地点就是被恐龙妈妈们青睐的产卵地。

当恐龙妈妈们准备产蛋的时候，它们会在选好的地

点先用土堆起一个土包，再在土包上挖一个圆坑，下一个程序就是把蛋生在坑里。它们背朝土坑，开始围着坑一圈圈生蛋，每生完一圈蛋就用土把蛋盖好，盖好后继续生蛋，第二圈生完之后继续盖土，如此往复，直到把所有的蛋都生完。古生物学家介绍，恐龙们最多能产四圈蛋，那些圆滚滚的带斑纹的蛋一圈圈地叠在一起，呈同心圆排列，有时可多达数十个，但是它们彼此都不重叠，以保证每颗蛋都能够接受到阳光照射。

目前还不能确定恐龙妈妈们是否会像鸟类那样去孵蛋，因为它们的血液是温的还是冷的尚无定论，如果恐龙是冷血动物，那么它们显然不能依靠自己的体温来孵蛋，只能像鳄鱼或者蛇一样把蛋埋在沙土里，依靠太阳的照射来使蛋孵化。

恐龙妈妈们需要照顾宝宝吗

依靠阳光照射来孵蛋并不意味着恐龙妈妈们把蛋生完之后就可以放手不管了。毕竟在恐龙生活的那个时代，外部环境不是特别安全，总有些鬼鬼祟祟的小型恐龙以偷蛋为生。所以恐龙妈妈们只会去附近猎食，以防自己的蛋遭遇不测。

当恐龙宝宝们快要破壳而出的时候，恐龙妈妈们就守在巢穴边寸步不离，它们不断地检查，帮助已经破壳的恐龙宝宝顺利从蛋里面钻出来。当然，并不是所有的蛋都能成功地孵出小恐龙来，有些蛋会因为没有受到太阳照射，或者受热不均而无法孵化，恐龙妈妈们只好将它们遗弃。古生物学家们推测有些恐龙宝宝可能并不需要妈妈的照顾，它们非常强壮，一出壳就能自由觅食，非常独立。

恐龙的视力如何

电影和小说里出现的恐龙通常视力都很弱，它们往往靠嗅觉和听觉来追寻猎物。有些古生物学家认为恐龙的眼睛和青蛙的类似，只能看到活动的猎物，而忽略掉静止的东西。古生物学家们对恐龙的眼睛非常好奇，但人类至今从未发掘出恐龙眼睛的化石，因为恐龙一旦死亡，眼睛要么很快腐烂，要么很快被食腐动物吃掉，保存难度非常大。

影响恐龙视力的主要因素

恐龙头骨化石上眼眶的大小，多少可以反映其眼睛的大小。一般说来，眼眶越大，眼睛也就越大，视力相应地也就越好。另外，眼睛生长的位置对视力也有影响，位于头骨前面的眼睛，其视力要比位于头骨两侧的好，而且，两眼之间的距离越宽，对外界物体位置的分辨就越准确。大多数植食性恐龙都有一双大眼睛，这对于它们及早发现远处的敌害，从而采取有效的防御策略非常有利。这可能与它们头部低矮，长期生活在视野较窄的环境里有关。

除了眼眶形态可以提供一部分视觉信息，恐龙脑颅部分的化石也可以用来推断恐龙的视觉。脑部各个部分负责的功能不同，如果某只恐龙与视觉功能相关的这部分脑颅空间较大，我们就有理由相信这只恐龙视觉发达。

恐龙的视力是好还是坏

不同种类的恐龙视力有所不同。有一部分恐龙，尤其是肉食性恐龙视力比较好，和鸟类近似。另外一些恐龙的视力可能就相对较差，它们的视力更像鳄鱼这样的爬行动物的视力。

植食性恐龙中眼睛最大的首推鸟脚类恐龙，因为它们的头骨化石上显示出大而圆的眼眶。鸟脚类恐龙的超群视力，使它们一发现任何风吹草动，就能迅速分辨出危险的信号，并及时采取对策。蜥脚类恐龙也有很大的眼睛、很好的视力，加上它们的长脖子把头高高举起，这就使蜥脚类恐龙在恐龙类群中，具有最广阔的视野。剑龙类和甲龙类的眼睛较小，论视力，它们要比前两类恐龙差一些。

肉食性恐龙大都有一双大眼睛，它们目光敏锐，视力好。其中，尤以恐爪龙、似鸟龙和窄爪龙的视力最好。它们的眼睛不仅大，而且左右分隔较开，位置靠前，具有“眼观六路”“洞察秋毫”的立体视觉。这些敏捷的捕食者借助立体视觉，能够看清远处的猎物，以便迅速地捕捉它们。

到目前为止，我们还无法确定恐龙究竟是视力很好还是视力极差。或许有一天，当古生物学家们找到了更充足的证据，我们才能确定恐龙视力的好坏。

恐龙怎样分配食物

在西伯利亚的荒野中，狼捕到猎物之后会按照各自在族群中的等级来分配食物，狼王拥有最先进食的权利，而那些处于族群边缘的狼只能吃一些残羹冷炙。像老虎和灰熊这些独自生活的动物，就不用为如何分配食物而费心，它们只要自己吃饱就万事大吉了。那么，远古时代的恐龙是如何分配食物的呢？

恐龙为何分植食性和肉食性

古生物学家们认为，恐龙在刚刚进化完成的时候，所有的恐龙都以肉为食。食物来源以其他中小型爬行类动物为主。恐龙诞生初期只是很小的族群，随着时间的推移，才逐渐变成地球上的霸主。越来越多的肉食性恐龙捕食其他爬行动物，导致后者的数量锐减，由此出现了两种情况：第一种情况是那些爬行动物数量变得稀少之后，植物得以繁荣生长；第二种情况是肉食性恐龙开始没有猎物可食用，很大一部分被饿死。于是一些恐龙为了存活下来，只好改变饮食习惯，用一些植物充饥，慢慢地，它们发现植

物的口感也不错，而且植物作为食物源更易获取，这些恐龙就逐渐进化成了完全的素食主义者，成为植食性恐龙。

除了肉食性恐龙和植食性恐龙，还有一部分恐龙原先是肉食者，后来演变成杂食恐龙，荤的素的都吃。肉食性恐龙数量少，植食性恐龙数量多。肉食性恐龙中最有名的是暴龙，此外还有跃龙、恐爪龙、永川龙等。大型肉食性恐龙的主要捕猎对象是大型植食性恐龙，例如梁龙、雷龙、马门溪龙、鸭嘴龙等。

如何分配食物

不同的肉食性恐龙分配食物的方法也不同。像暴龙这样的独行侠自然不存在分配食物的问题。而那些群体猎食的肉食性恐龙则有可能以两种方式分配食物：第一种是按照族群中的等级来划分，像狼一样，等级高的先进食，等级低的后进食；第二种则依靠蛮力来分配，彼此攻击，胜出的恐龙享用最鲜美的肉。

植食性恐龙也要分配食物，不过它们不靠暴力和等级来分配，而是按照身高来分。大个子的蜥脚类恐龙觅食高度很高；鸭嘴龙吃的大多是中等高度的植物；角龙和腕龙的取食高度相差不多，它们偶尔也会依靠身体去把植物推倒，然后吃掉树冠上的嫩叶。植食性恐龙性格温和，吃相也斯文，不过它们警惕性非常高，这也是为了避免自己在进食的时候成了别的肉食性恐龙的食物。

不过，以上这些关于恐龙分配食物的观点都是古生物学家们根据现有的动物捕食方式推测而出的，缺乏足够的证据。

恐龙格斗化石保存之谜

俗话说：大鱼吃小鱼，小鱼吃虾米。在动物世界中，弱肉强食是一种普遍现象，每一种生物都处在食物链的一个环节，食与被食是必然的。下面我们要讲的就是神秘的恐龙格斗化石。

被泥沙掩埋的化石

恐龙化石之所以能够形成，多数是因为意外情况突发，恐龙死去，随后尸体也被保存下来。绝大多数的恐龙化石都被泥沙掩埋，例如失足跌入水中，沉到河底；或者遭遇山崩，被山石掩埋。恐龙争斗的化石大概也是因此被保存下来的。不过，并非所有的恐龙化石皆是这样被保存下来的。

1971年，在蒙古曾发现过两个扭在一起的完整的恐龙化石骨架。其中一只是植食性恐龙原角龙，另一只是肉食性恐龙快盗龙。从这两个恐龙骨架的埋藏姿态看，快盗龙用锐利的前爪抓住了原角龙的头部，将后爪刺进了猎物的腹

部，死死逮住不放。但原角龙并未就范，仍在拼命挣扎，并且拖着快盗龙向沼泽地奔去，最后双双陷入松软的泥潭中，同归于尽。然后经过亿万年的地质变迁，它们一直保持着当年搏斗的姿势，成为神奇的恐龙格斗化石。

当然，这些珍贵的恐龙格斗化石能够在亿万年的时间中依然保持着原来的姿态，可不仅仅是巧合能说明的，古生物学家们认为其中或许还存在着一些未知的原因。

令人费解的死因

1987年，人们在云南晋宁的夕阳彝族自治乡发现了两只扭在一起的恐龙的化石骨架。其中一只是植食性恐龙，另一只是肉食性恐龙，后者正死死地咬住前者的尾椎骨。有人怀疑，那只肉食性恐龙是凶手，而植食性恐龙理所当然是被害者。但从埋藏姿态分析，植食性恐龙并不是被杀死的，因为现场并没有争斗的痕迹。这样，就排除了肉食性恐龙行凶的可能。最后有人为此下的结论是：植食性恐龙似乎已死亡多日，一只喜食腐肉的肉食性恐龙路经这里时发现了它，禁不住垂涎三尺，扑在植食性恐龙的尸首上便狼吞虎咽起来。正当它津津有味地吃着这“得来全不费工夫”的美食时，因突发情况它也死去了。

至于它们究竟是因何而死，没有人能说得清楚，毕竟这件事发生在侏罗纪早期。可能不久之后，当地就下起了暴雨，暴雨带来的山洪携带着泥沙将那两只恐龙的尸体掩埋，它们免于被其他动物啃食、肢解，也避开了风化作用及搬运作用的破坏，成为难得的化石珍品。

恐龙与鸟类的关系之谜

在人们的印象中，恐龙是庞然大物，或者凶猛无比，或者笨重异常，总之，与天空中飞翔的美丽而轻盈的鸟类是截然不同的两类动物。但实际上，恐龙和鸟之间却似乎有着十分密切的关系。

带羽毛的恐龙化石

带毛恐龙从1996年开始被发现。从中华龙鸟开始，始祖鸟、尾羽龙、北票龙、千禧中国鸟龙、小盗龙等陆续被发现。在它们当中，有些具有很原始的羽毛类型，如中华龙鸟的羽毛还没有现代鸟类羽毛的典型特征，而尾羽龙和小盗龙等的羽毛已经和现代鸟类的羽毛相似。其中，包括千禧中国鸟龙、小盗龙在内的驰龙类可能是与鸟类关系最近的一类恐龙，

它们的诸多特征都与原始鸟类相似。

始祖鸟被发现之初，就因其同时具有进步的鸟类羽毛和像爬行动物一样的尾巴而令世人震惊，成为爬行动物向鸟类过渡的重要证据。

恐龙是鸟类的祖先吗

现在的鸟类是恐龙的后代这种说法虽然让人觉得难以信服，但如果把鸟与恐龙比较一下，我们就会获得更多的信心。从外貌来看，现在许多鸟都与恐龙有些像。鹦鹉嘴龙的嘴与鹦鹉的嘴相似。鸵鸟龙的脚和鸵鸟的脚相似，也有三个脚指头，善于行走。

在探索鸟类起源的过程中，争论的焦点之一是锁骨问题。鸟类的左右锁骨相互连接， 是V字形愈合锁骨，十分发达。而恐龙的锁骨则因退化而完全消失了。对此，持“鸟类起源于恐龙”观点的古生物学家认为，恐龙和鸟类都来源于槽齿类动物，只是在后来的进化过程中它们的锁骨发生了不同变化，不能凭这一点就说恐龙不是鸟类的祖先。可是，上述观点提出来以后，有的科学家又发现了一些带有锁骨的虚骨类恐龙，经过化石分析，表明始祖鸟与虚骨龙的骨骼有明显的共同之处，但是其中的许多特征是槽齿类动物所不具备的。这样一来，又推翻了以前关于恐龙与鸟类都起源于槽齿类动物的观点。

古生物学家们认同鸟类和恐龙之间有着密切的关系，至于鸟类究竟是起源于恐龙还是起源于更早的槽齿类生物，还是疑团重重。

似鸟龙

恐龙睡觉时会做梦吗

做梦是人类的一种正常的生理现象。人们入睡后，大脑皮质未完全抑制，脑海中会出现各种奇幻情景，这就是梦境。有的古生物学家认为，做梦并非人类的专属，恐龙也会做梦。

恐龙怎么睡

人类躺在床上睡觉，蝙蝠倒挂在树上睡觉，狗卧在自己的窝里睡觉……那么，远古时代的恐龙怎么睡觉呢？

古生物学家研究发现，大体而言，四足行走的恐龙大多趴着睡觉，比如梁龙；两足行走的恐龙则大多站着睡觉，比如霸王龙；还有的恐龙会筑巢睡觉，比如三角龙……恐龙的睡姿千姿百态，令人大开眼界。

恐龙也会做梦吗

恐龙也需要睡觉休息，补充体力。我们不禁会想，恐龙睡觉时会做梦吗?

有些古生物学家经研究，提出恐龙睡觉时会像人类一样做梦。

他们偶然间观测到蜥蜴夜间睡觉时的大脑活动记录，发现它们的大脑有规律地在两种状态下变换，从而猜测蜥蜴睡觉时很可能会做梦。

蜥蜴的睡眠状态意味着睡眠造梦现象可追溯至羊膜动物进化时期，羊膜动物出现在大约3.2亿年前，之后很快进化分支，其中包括：爬行动物、鸟类和早期哺乳类。如果说睡眠造梦现象存在于蜥蜴、鸟类和哺乳动物中，那么就很可能也存在于它们的共同祖先物种中，也就是恐龙身上。

然而这一观点尚缺乏足够的证据证明，一些古生物学家认为这纯属臆测。恐龙到底会不会做梦，目前为止还是未解之谜。

泰莱湖的神秘恐龙

几个世纪以来，一直有一种传言，说泰莱湖里存在着一种奇形怪状的巨兽。有人说这巨兽是史前留下来的恐龙，也有人说这是一条巨鳄，一时间，人们将这件事传得沸沸扬扬，但没有人知道这个巨兽到底是什么。

神秘莫测的湖泊

泰莱湖位于刚果（布）西部，河岸两旁都是莽莽苍苍的原始森林，遮天蔽日，密不通风，终年云雾缭绕，就像是碧波万顷的绿色海洋。

在密林纵深地带，有一连串细长而幽深的湖泊，这就是闻名遐迩的泰莱湖。湖旁堆积着从远古时期积存下来的一层厚厚的落叶，更显神秘。

在这个湖中，有一个半浮半沉的黑黝黝的物体。湖边泥地上有它留下的巨型脚印。脚印呈竹叶形，两只脚印之间的距离达两米之远，足以想象，这是何等庞大的动物。

真的是恐龙吗

这巨型怪兽到底是什么东西呢？有的古生物学家认为这是一只肉食性恐龙，因为他们认为刚果河和泰莱湖接壤的地区，绝大部分地方仍保持着原始的状态，在这样的生态环境里，恐龙生存下来是完全可能的。他们认为，这头怪兽可能是一只肉食性恐龙，或是它的后裔和变种。

有的古生物学家却认为这个怪兽不是恐龙，而是一头非洲老鳄。但是为什么它的身体这么巨大呢？他们认为是环境污染导致的基因变异。

还有的古生物学家认为这是一种绿色的水藻。他们声称在被怪物弄断的栅栏上，收集到巨兽留下的一小撮绿色长毛，经化验，证明这个巨兽因长年在绿色水藻中生活，浑身寄生了绿色丝状的水藻，在水中蓬松飘散，更增添了恐怖神秘的气氛。

这个怪兽到底是什么？古生物学家们正在加大勘查力度，组织科学考察队持续探究，相信总有一天，学者们一定会为我们解开这个谜。

谁是最大的恐龙

恐龙家族中巨龙频出，到底谁是最大的恐龙呢？大家你一言我一语，讨论得热火朝天。

化石证据不足

恐龙家族的很多成员都在争夺“最大恐龙”这一称号。但是恐龙化石记录的变化让我们无法确定到底谁是真正的赢家。我们需要更多、更完整的化石出土，才能够最终确定哪种恐龙最大。

人们发现的化石骨架相当不完整。通常情况下，结

构较完整的恐龙骨架化石也不过只有恐龙整体骨架的一半，有的骨架化石甚至只有一块骨骼，可以想见，古生物学家据此推知的恐龙身高、体长、体重等数据势必会存在较大的误差。这意味着，科学家不得不依赖这些巨兽的个头较小、化石也较完整的近亲来估计巨型恐龙的大小。随着科学家发掘到新的化石，这些数据经常需要更新。

另外，因为许多巨型恐龙的大小都差不多，所以科学家需要更多完整的化石来做比对检查。尚未出土的恐龙化石数量如此之多，因此，“谁是最大的恐龙”这个问题依然没有答案。

种族多样干扰判断

在有关恐龙的各种“最”当中，“最大的恐龙”备受古生物学家和公众的青睐。但对这个答案的追寻，不但为恐龙化石记录的混沌所挫败，而且为恐龙物种的多样性所干扰。例如，巨型蜥脚类恐龙的进化就出现了多次，而不仅仅是在整个恐龙时代都沿着一条轨迹演化。因此，科学家相信，来自不同种群、生活在不同时期、栖居在不同地方的恐龙，都可能是最大的恐龙。

恐龙冬眠吗

我们很少在冬天看到蛇和蜥蜴等爬行动物，因为它们正在温暖的巢穴中呼呼大睡。没有火炉，也没有棉衣，为了度过寒冷的冬天，它们选择冬眠。这段时期，它们不吃不喝，一直睡到来年春暖花开时才苏醒过来。爬行动物要冬眠，恐龙也要冬眠吗？

冷血动物才冬眠

蛇、蜥蜴等爬行动物是冷血动物。它们体内的新陈代谢水平比较低，产生的热量少，加上身体表面没有像鸟类那样的羽毛、哺乳动物的毛发那样隔热保温的构造，所以它们的体温不恒定，会随着外界环境温度的改变而变化。外界环境温度过高或过低，都会影响它们的正常生活。只有在外界温度适宜的情况下，体温处于最适宜状态时，它们才会反应敏捷，活泼好动，四处觅食，繁殖后代。

前面我们曾经讨论过恐龙是冷血动物还是恒温动物。目前为止，古生物学家们还没有给出明确的答案，所以如果恐龙是冷血动物，它们则可能有冬眠的习惯，如果它们是恒温动物则不会冬眠。

气候暖和，可能不需要冬眠

讨论恐龙是否冬眠这个问题，除了考虑恐龙自身的因素，还需要考虑外界的环境。

部分古生物学家根据古地理、古气候资料推测，在恐龙称霸的中生代，地球上的气候比现在温暖许多，当时没有明显的四季变化，没有明显的昼夜温差，南北两极的温度也比现在高出许多，没有严寒，全球一片和暖。在趋于平坦的原野上，河流纵横，湖沼广布，松柏、苏铁、银杏等裸子植物覆盖着广袤的土地，到处是绿色的世界，一派生机勃勃的美妙景象。恐龙就生活在这样一个温暖的、食物充足的环境里，没有严寒，它们

自然就不需要冬眠。

当然，这只是一个推测。地球那么大，不可能所有的地方都是暖和的，譬如南北两极，就算比现今的南北两极温度高，但肯定也处于较低的温度范围，也许生活在此处的某些恐龙会选择冬眠。

我们可以设想一下，几米长，几十米长，几吨重，几十吨重的恐龙究竟会选择什么样的冬眠方式，难道像蛇一样钻入地下冬眠吗？或者不钻入洞穴，而是不吃不动地“睡”在地面上，形成“横尸遍野”的死寂景象？光是设想一下这两种画面就让人忍不住想笑了。

世界最大的恐龙脚印之谜

"下雪啦，下雪啦！雪地里来了一群小画家。小鸡画竹叶，小狗画梅花，小鸭画枫叶，小马画月牙。不用颜料不用笔，几步就成一幅画。"如果恐龙走过来，它会画出什么样的图画呢？我们来问问古生物学家吧！

庞大的恐龙脚印

古人云："千里之行，始于足下。"对古生物学家而言，始于足下的可不仅仅是路途，还有恐龙的脚印。甘肃永靖盐锅峡有1800平方米的恐龙足迹化石的遗迹，经专家测量，最大的一组足印每个都将近1米，其中最大的一个长1.5米、宽1.2米，足有半个乒乓球桌那么大，一个成年人可以很容易地坐在足印中间。

2004年，人们在西班牙发现了恐龙在水中行走时留下的脚印化石。当时它们在齐肩的湖水中行走，水流很急，但它们还是顺利地沿直线涉水而过。由于在较深的湖水中行走，因此它们的脚印只有脚趾的最前端。在法国，人们也曾发现巨大的恐龙足迹，该足迹长1.8米、宽1.5米，是梁龙属的恐龙留下的。另外，在澳大利亚，人们也发现过宽1.7米以上的恐龙足迹。

脚印是如何保存下来的

恐龙活动的足迹、恐龙蛋和粪化石等与恐龙骨骼一样，是恐龙活动的直接证据，也是恐龙化石中的珍品。恐龙化石残存到现在已经够罕见了，恐龙脚印的化石更加难得。

虽然恐龙每走一步都会留下一个脚印，一只恐龙一生会留下很多脚印，但事实上已发现的恐龙脚印化石非常稀少。这是因为一般情况下，动

物的脚印是不能被保存下来的。那么，恐龙脚印会在什么条件下被保存下来呢？

首先，脚印能被保存下来需要合适的岩石。这种岩石不能太软，也不能太硬，只有如此，才能保存恐龙的脚印遗迹化石。在干硬的地面上，恐龙走过以后只能留下浅浅的印痕，随之便消失了。假如地面过软，含水量较高，流动性较大，脚印会很快被周围流动的泥沙埋没。只有当泥沙的硬度适当时，脚印才能被保留下来。

此外，更重要的是，印有脚印的层面要适时地为外来的沉积物所覆盖，过早或过晚都不能形成足印化石。

总之，恐龙脚印化石的形成条件非常苛刻，天时、地利，一样都不能少。即便经过多年研究，古生物学家们也依然难以说明恐龙脚印化石是如何被保存下来的。

目前已被发现的最大的恐龙脚印

恐龙的食量之谜

对于动物而言，“吃”是最基本的生存诉求。有食物吃就能活下去，没食物就会饿死。据统计，一头成年非洲象，一天要吃掉几百千克的植物；而一头蓝鲸每天要吃3吨左右的磷虾；一条蛇一次能吃掉和自己体重相当的食物，然后即便好多天不吃不喝也能安然度日。那么，恐龙的食量如何呢？

吃得多还是吃得少

我们都知道，在恐龙王国中，有些种类的恐龙体重可达几十吨甚至上百吨，如果它们每天的饭量也按照自身体重来计算的话，预计要消耗几吨甚至十几吨的食物。计算下来，肉食性恐龙每天大概要吃掉一头小型恐龙那么重的食物，而植食性恐龙每天则要横扫一大片草原或者树林才能填饱肚子，否则就要被饿死。

事实果真如此吗？

有些古生物学家认为，植食性恐龙每天的食量大约相当于自身体重的1%。它们庞大的身躯可以储存大量的能量。所以进食只需维持基本需求即可，就像耐饥饿的骆驼。肉食性恐龙也是如此，大吃一顿之后，就能挺好多天。

但是，有的古生物学家则认为，恐龙食量巨大，尤其是体形庞大的植食性恐龙，食量过大甚至有可能是其灭亡的原因之一。

究竟以上哪种观点正确，恐龙到底胃口很小还是胃口大，目前尚不得而知。

吃什么

关于恐龙吃什么的问题，古生物学家有办法解决。古生物学家得到恐龙粪便化石后，就把它们切开，放在显微镜下观察。如果其中含有植物的根茎，那么就可以判定这是植食性恐龙的粪便化石，进而推测出该恐龙喜欢吃什么植物，并由此推测出远古时期该区域都生长着什么植物。对于肉食性恐龙来说，这个方法就不灵验了，因为肉食性恐龙吃掉的肉经过肠道的消化和吸收，就算侥幸残留一些骨头，也无法据此做出任何有价值的推断。

恐龙内部等级划分之谜

在动物世界中，很多群居动物都在族群中划分等级，例如狼群中的狼王等级最高；蚂蚁族群和蜜蜂族群中的等级均划分森严，蚁后、蜂后产卵，工蚁、工蜂寻找食物、建筑家园。恐龙族群中是否也存在着等级呢？

群居生活

无论是狼、蚂蚁还是蜜蜂，它们所具有的共同点就是群居性。若要讨论恐龙内部是否存在等级划分，则先要解决恐龙是否群居的问题。在世界的许多地方都发现了恐龙墓地。这些恐龙墓地有的保存有十几只恐龙的化石，有的甚至有上百只恐龙的化石，因此一些古生物学家认为，某些恐龙是成群生活的。然而，想象毕竟只是想象，尽管电影《侏罗纪公园》中出现了恐龙集体捕猎的场景，但事实上我们并不能证明肉食性恐龙是否真的合作捕食。虽然罕见的足迹化石表明一些肉食性恐龙或许曾一起行走，但是这些足迹化石并未告诉我们它们为何并肩行走。

所以说，恐龙是否群居，还是一个未解之谜。恐龙内部是否存在等级，自然也无从得知。

等级划分

有些古生物学家从另一个角度来寻找同类恐龙中的等级划分。例如，美国的古生物学家通过研究一些角龙的墓地，进行该项研究。这些墓地里有很多的成年和幼年角龙尸骨。在对这些尸骨进行研究的时候，古生物学家发现不同生长阶段的角龙有不同的角。幼年、少年和成年的角龙，头顶的冠饰从简单到复杂。那些复杂的冠饰看起来非常威风，古生物学家推测，或许这些冠饰能够说明一只角龙在群体中的地位——长有最复杂的角的角龙等级最高。这个观点提出之后，立刻遭到一些古生物学家驳斥，他们认为：角龙头顶的角更多的是用来吸引异性，而不是显示等级。就像已经灭绝的大角鹿，雄鹿用头上的角来吸引雌鹿，角龙的角越大就越受异性欢迎。

究竟恐龙内部等级如何划分，尚待证实。想必它们自有一套管理模式，并以此维持种族秩序。

恐龙木乃伊之谜

恐怖电影中常常会有这样的桥段：恐怖的音乐响起，在昏暗的金字塔中，缠满布条的木乃伊忽然跳起来扑向盗墓者。事实上，这是根本不可能出现的场景，因为木乃伊是死去多年的风干尸体，别说跳起来，就算是一阵风都有可能把它们吹成尘土。不过，下面我们要介绍的干尸比木乃伊还要恐怖，因为它不是人的尸体，而是恐龙的。

最早的恐龙干尸

相对恐龙骨骼化石来说，恐龙木乃伊更加稀少，这么多年过去也就仅仅被发现了几具而已。最早的恐龙木乃伊是于20世纪初期在美国怀俄明州康弗斯县被发现的。这是一具保存良好的埃德蒙顿龙干尸，上面附有一些肌肉，皮肤痕迹覆盖着口鼻部分、大部分颈部与胸部、部分四肢，尾巴与部分后肢因为侵蚀作用消失了。埃德蒙顿龙干尸身上蕴含着许多未解之谜，令古生物学家们接踵而至，想要一探究竟。

震惊学术界的“达科他”

1999年，北达科他州出土了一个极完整的鸭嘴龙幼年标本化石，被命名为“达科他”。这具恐龙干尸让古生物学家们震撼不已，因为它不仅牙齿和骨骼完整，还保存着恐龙生前的完好软组织，包括皮肤、肌肉以及内脏。鸭嘴龙，是一类较大型的鸟臀类恐龙，是恐龙家族中的最后生存者之一。这具标本化石的尾部、前肢、后腿上的皮肤没有脱落或者塌陷，在先进扫描仪器的帮助下，内部肌肉甚至肌腱都清晰可见，并完好无损；在三维技术的支持下，研究人员甚至可以看清恐龙的内脏。古生物学家们发现，这只恐龙没有胸腔，这表示它在变成干尸之前，已经被食肉动物吃掉了部分身体。恐龙要变成干尸，需要非常苛刻的条件：在它死去之前，尸体四周必须积满了酸性沉积物，矿物质也要快速堆积，在机体腐坏之前保护好有机分子。究竟它是在什么样的条件下得以保存，并保存得如此完好的，目前尚不得而知。

“达科他”的出土震惊了学术界，有的古生物学家甚至将“达科他”的重要性与罗塞达碑相提并论。罗塞达碑曾经帮助人类学家破译了古埃及的象形文字，而“达科他”也可能有助于古生物学家了解灭绝已久的恐龙的生理结构。

保存最好的“莱昂纳多”

2000年，在蒙大拿州北部一处砂岩中发现了一具大部分被木乃伊化的恐龙化石。它属于鸭嘴龙类的短冠龙。发现者将其命名为“莱昂纳多”。莱昂纳多是一件“有肉”的化石，至少90%的骨头、80%的皮肤都保存了下来。从骨骼推断，莱昂纳多尚未成年，约3～4岁，体长6.7米，体重约1.5～2吨。它浑身布满了子弹头大小的多边形、五角形的鳞片，并且背部有一道褶边，可能起着装饰作用。莱昂纳多还保存有胃部残留物，包含了几十种植物残渣。

莱昂纳多目前存放在蒙大拿菲利浦国家博物馆，因为保存完好，发现者还为其申报了“保存最好的恐龙化石”的吉尼斯世界纪录。莱昂纳多身上谜团重重，吸引着无数的古生物学家。

中国的鹦鹉嘴龙木乃伊

21世纪初期，在我国辽西地区发现了一具恐龙木乃伊。比起前面发现的恐龙木乃伊，这具恐龙木乃伊算是小个子了。但是，它清晰地记录了1.2亿年前鹦鹉嘴龙的姿态，好像在向我们诉说着自己的模样及生活。

恐龙木乃伊是如何形成的

经过多年的研究，恐龙化石的形成原因已经比较明确，但对于恐龙木乃伊的形成原因，古生物学家们还是依靠推测。20世纪初期，人们发现了一具埃德蒙顿龙干尸，那只埃德蒙顿龙可能是死于干涸的河床，被洪水冲刷到含丰富黏土的沉积层，皮肤得以保存下来。至于大名鼎鼎的“达科他”，古生物学家们对这具恐龙木乃伊及其埋藏环境进行了研究，得出了有趣的结论。7000万年前的一天，北达科他州赤日高悬。不知为什么，一只鸭嘴龙离开了栖息地，离开了它的伙伴们，独自来到这个干燥、炎热的不毛之地。也许它已病魔缠身，也许它迷失了方向，在恶劣的环境中，它精疲力竭，昏头昏脑。它再也走不动了，终于仰天倒在滚烫的沙地上，再也没有爬起来。鸭嘴龙的尸体长时间曝露在荒野，没有被肉食性动物破坏过。在火辣辣的太阳的曝晒下，尸体脱水，皮肉干缩，肋骨和大腿骨因而显得格外突出。最后，这只鸭嘴龙变成了一具干尸。后来又发了洪水，在干尸的皮肉还没来得及被水泡软时，泥沙质沉积物就把它给掩埋了。岁月流逝，沉积物越来越厚，干尸被埋在深深的地下。几千万年过去了，泥沙变成了岩石，干尸变成了化石。

恐龙是怎样求偶的

恐龙如何求偶、交配对于人类来说也是个未解之谜，因为其交配证据无法成为化石，所以古生物学家们只能靠推测来设想恐龙是如何求偶的。

推测一：用羽毛来吸引异性

古生物学家们推测，在远古时期某些长有羽毛的雄恐龙在追求异性时，可能会采用雄孔雀的策略：用显眼的羽毛吸引对方。研究者在研究时发现成年雄恐龙身上长有较长的羽毛，但是未成年的雄恐龙却没有羽毛或只有很短的羽毛。这意味着成年雄恐龙很可能是用这些羽毛来追求成年雌恐龙。

推测二：像鸟一样跳求偶舞

美国科罗拉多大学的古生物学家马丁·洛克里在科罗拉多州发现多处脚抓痕迹。这些脚抓痕留在宽

阔的砂岩上，有些脚抓痕的三趾足迹清晰可见。这些印迹的大小、深浅、散布状况不一，但大多脚抓痕是两两一组平行排列的。根据形状和大小，他们认为这些脚抓痕是生活在1.1亿年前的高棘龙留下的。高棘龙是当时的肉食性恐龙之一，体形庞大。古生物学家指出，这些脚抓痕的模式像一些鸟类，如北极海鹦、鹦鹉等在有求偶时产生的，这些地面筑巢的鸟类在求偶时会有“巢穴抓痕炫耀”的行为，以展示其筑巢能力。

从这组恐龙的脚抓痕化石来判断，恐龙有可能像它们的近代亲戚鸟类一样，有跳求偶舞的行为。有的古生物学家表示，说不定许多鸟类的行为其实是源自它们的祖先恐龙。

推测三：依靠头部肉冠求爱

许多种类的恐龙头上长有肉冠。肉冠内从鼻骨向上是弯曲的管。这可能是用来发声的管道，就像小号中的金属弯管一样，肉冠可以用来鸣叫。恐龙在有危险时，用肉冠发出叫声，这种叫声在丛林中回荡，警告群体中的其他恐龙。不同族群的恐龙有不同的肉冠和叫声，它们通过声音辨别自己群体中的成员，与群体保持联系，以及寻找配偶。雄恐龙的肉冠可能比雌恐龙的大。

恐龙公墓是怎么回事

半个多世纪前，一支探险队在非洲密林发现一个洞窟，里面有成堆的象牙和象骨。据说，大象在临死前一定要跑到自己的秘密墓地去迎接末日，那个洞窟就是大象的公墓。无独有偶，生活在亿万年前的恐龙似乎也有这种公墓。

奇特的恐龙公墓

在世界上不少地方都发现了大量恐龙遗骸集中埋在一处的现象，这就是“恐龙公墓”。到目前为止，最著名的恐龙墓地一共有4处：第一处是在美国新墨西哥州一个叫古斯特的农场，人们曾在那里发现一个奇特的“万龙坑”，里面竟有数百只腔骨龙化石骨架横七竖八地堆积在一起；第二处是在我国四川自贡市郊的大山铺发现的恐龙墓地，面积约17000平方米，出土了大量的侏罗纪中期的恐龙类及其他共生的脊椎动物化石；第三处是比利时伯尼萨特的禽龙墓地；第四处是加拿大艾伯塔的角龙墓地，该

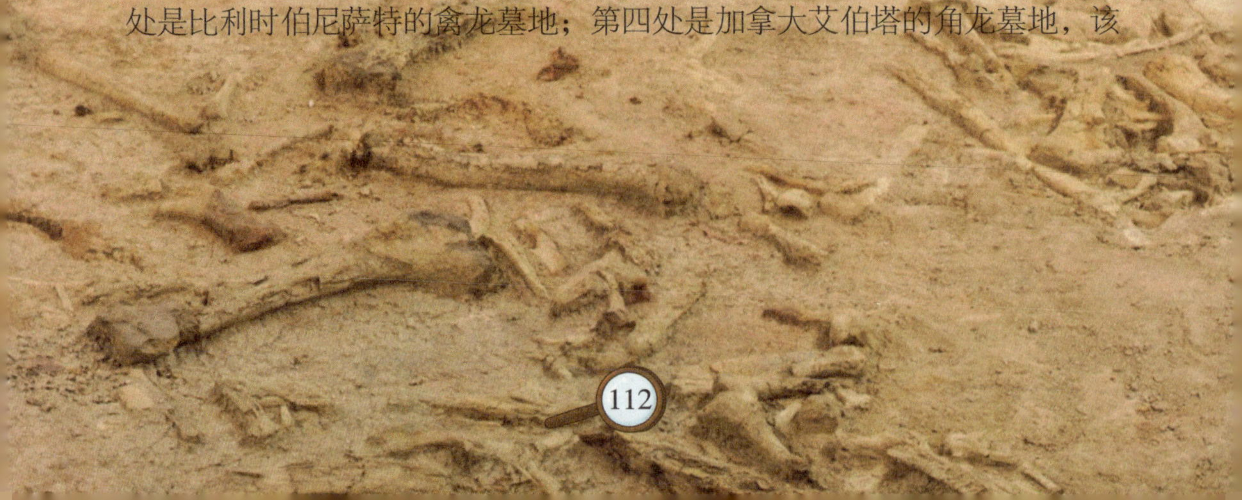

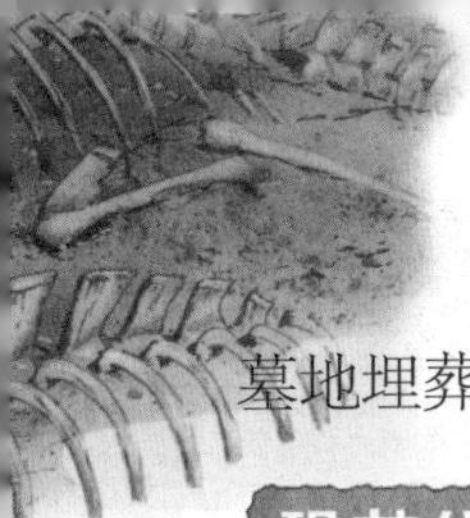

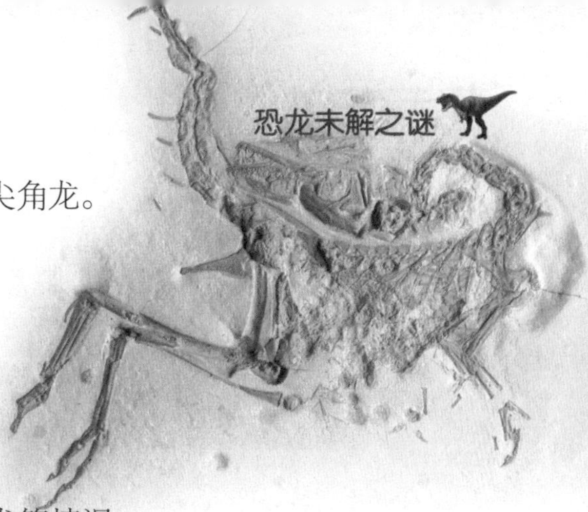

墓地埋葬了数百只处于不同年龄段的尖角龙。

恐龙公墓是如何形成的

关于恐龙公墓是如何形成的，古生物学家经研究，推测出以下两种成因：

第一种是意外埋葬，例如山洪暴发等情况。

以加拿大艾伯塔的公墓为例。8000万年前，一大群尖角龙浩浩荡荡向远方迁徙，也许是去寻找新的食源。谁知，在它们过河的时候，山洪暴发，河水水位猛涨，波涛翻滚咆哮，河水一泻千里。尖角龙惊恐万分，你推我挤，互相踩踏，许多弱者被淹死在河中，并很快被泥沙掩盖，千百万年后变成了化石。无独有偶，古斯特恐龙公墓和伯尼萨特恐龙公墓也都可能是因此形成的。

第二种是异地埋葬，恐龙死在别的地方，因为某些原因尸骨被堆积在了一起。

以四川自贡市郊的大山铺为例。1.6亿年前，大山铺一带生活着大量的恐龙及共生的动物。当时出现了干燥炎热的气候，生活环境变得非常恶劣，缺水少食，致使恐龙大量死亡。久旱之后往往是洪灾。洪水一来，恐龙的尸体就被冲到一个相对低洼的地方沉积下来，这个地方就是大山铺。

当然，这两个原因都是古生物学家根据化石进行的推测，也许还有其他更隐秘的原因。说不定那些濒死的恐龙也会像大象一样找一个特定的地方慢慢死去。

“恐人”之谜

2015年，皮克斯动画工作室、华特·迪斯尼影片公司联合出品了一部叫《恐龙当家》的动画片，这部动画片讲述了在恐龙时代，一颗本来应击中地球、造成恐龙灭绝的流星却与地球擦肩而过，于是，恐龙没有灭绝，而是一直在地球上繁衍生息，进化得很聪明，甚至还会种玉米。真是充满想象力呀！我们禁不住想：如果恐龙没有灭绝，它们会进化成什么样呢？

能存活到现在吗

很多古生物学家认为，如果上面的假设成立，恐龙侥幸逃过了小行星撞地球的灾难，也会在地球的冰河时代走向灭绝。不过，英国古生物学家罗杰斯在接受采访时说“证据显示它们（恐龙）成长得非常快，这意味着其中一部分恐龙可能已变成恒温动物，它们已能够很好地适应各种体温问题”。换句话说，一些恐龙已具备足够的能力来抵御地球演变过程中发生的气候剧变。这也意味着，恐龙如果没遭遇小行星撞地球的灭顶之灾，也许可以度过冰河时代存活下来。

最聪明的恐龙进化成“恐人”

加拿大古生物学家戴尔·罗素认为，如果恐龙没有灭绝，经过几千万年的进化，它们会进化成一种新的智慧物种——“恐人”。他坚信自己的这个理论，还请人做了一个“恐人”的巨大模型。头一次看到这个模型，人们一定会觉得很好玩，很惊奇，因为它除了有大得出奇的眼睛、长得十分吓人的嘴巴和怪怪的皮肤，长相和我们人类是多么相像啊。另外，它的尾巴早已经退去了，能完全直立起来，上肢还可以极其悠闲地在体侧晃。

另外一些古生物学家认为，只有恐龙中最聪明的才会进化成“恐人”，而在恐龙濒临灭绝的时代，最聪明的恐龙要数伤齿龙。美国俄亥俄州立大学古生物学家拉里·惠特默称，伤齿龙“像狐狸一样狡猾”。它们个子很小，直立行走，喜欢群居。通过研究它们的大脑容量，拉里·惠特默发现它们不但拥有良好的视力，还拥有潜在的解决问题的能力。所以，我们有理由相信，如果恐龙没有灭绝，伤齿龙很可能会沿着灵长类或人类的发展方向进化，最后成为具有智慧的“恐人”。当然，这只是一种假想。

恐龙的行走方式之谜

有些古生物学家经研究推测，有的恐龙用四只脚走路，有的则用两只脚。事实果真如此吗？为什么会出现这种情况呢？

植食性恐龙与肉食性恐龙

有些古生物学家认为，植食性恐龙一般都是四肢一起走，而肉食性恐龙一般都是用两只后腿走。他们认为，植食性恐龙由于占据着食物链的底端，食量较大，所以它们往往长得也很大，前肢和后肢的重量几乎一样，不利于直立行走，也根本不便于演化成快速移动的类型。所以说，植食性恐龙一般都是用四只脚走路的。

另一方面，他们认为，肉食性恐龙占据了食物链的顶端，由于肉食带来较充足的营养，所以肉食性恐龙的食量较小，体形往往也较小，在长期的自然演化中就进化成为一种可以快速移动、擅长袭击的恐龙。

鉴于不同食性恐龙体形、移动速度与捕食习惯不同，植食性恐龙演变成承重性能好的四足形态，肉食性恐龙演化成敏捷性能好的双足形态，就容易解释了。

然而，这种观点受到了另一些古生物学家的

反驳，他们认为恐龙的行走方式不能简单地按照食性来划分，狼、狮子等食肉动物就是靠四肢行走的。

因此，恐龙的行走方式究竟如何，是否能简单地将恐龙的行走方式按照食性来划分呢？目前尚无定论。

落后的运动系统

有的古生物学家认为，双足着地使得肉食性恐龙跑起来会左右晃动，降低速度，而且转弯困难，不利于捕食。肉食性恐龙四足着地则更有利于身体平衡，捕食时只要直接上口就可以了，这就大大提高了其捕食的成功率。如果肉食性恐龙双足着地行走的话，说明它们的运动系统十分落后。

恐龙爪子的功用之谜

恐龙无一例外长着锋利的爪子，恐龙的身体大小不同，爪子的形状和大小也不尽相同。那么，恐龙的爪子有什么功用呢？

不同种类的恐龙，爪子的作用不同

在判定恐龙的爪子有什么功用之前，我们首先应该知道，同类恐龙的爪子具有一定的相似性。肉食性恐龙前肢上的爪子又长又锋利，在捕猎的时候，可以帮助它们紧紧抓住并撕咬猎物，让对方毫无挣扎之力；小型肉食性恐龙的前爪除了在捕猎方面的功用之

外，可能主要用于在土壤中刨食昆虫等小型生物；植食性恐龙和杂食性恐龙由于不需要进行捕猎，所以其爪子较短且扁平，粗糙且强劲，可能主要用来攀缓、摘取树叶或者挖掘食物，部分较锋利的爪子还可以用作防卫武器。虽然不同种类的恐龙爪的功用不能简单加以概括，但是这种相似性为我们判断恐龙爪的功用降低了难度。

没有爪子用触手

通过现有的恐龙骨架化石我们可以看出，一些蜥臀目兽脚亚目恐龙（如暴龙）的前肢非常短小，这种身体构造有利于减轻巨大且沉重的头部对身体产生的压迫，避免重心前移，使身体更加平衡，对于身体的机动性、灵活性也非常有利。

古生物学家推测，这些恐龙的前肢可能长有触手类的东西，能够在捕猎时突然出击，让前爪成为最厉害的武器，杀敌于瞬息。只是苦于样本太少，或材质无法成为化石保存下来。但是前腿短在恐龙族群中并不是普遍存在的现象。大部分四足行走的恐龙，前肢并不短小；有些两足行走的恐龙，前肢也称不上短小。这类生物化石有限，恐龙爪到底是做什么用的，具体有多少种用处，目前尚无确切的说法。

腔骨龙吃子女之谜

虎毒不食子。恐龙的世界也是如此吗？有些古生物学家认为，有一种叫腔骨龙的恐龙，会残忍地吃掉自己的子女！这种说法属实吗？下面就让我们一探究竟。

残忍成性，祸及子女

腔骨龙是一种肉食性恐龙。它们的牙齿是标准的猎食性牙齿，像剑一样锋利并向后弯曲，牙齿的前后缘有小型的锯齿边缘。腔骨龙性格异常残暴。

腔骨龙身体非常纤细，头部长而狭窄，它们可能以小群体方式集体猎食，以小型的、类似蜥蜴的动物为食。

在北美洲，人们曾经发现过数十只腔骨龙被埋藏在一起的情景。值

得一提的是，人们在有的腔骨龙化石骨架的体腔内还发现了幼龙的骨架。这是怎么回事呢？有的古生物学家认为，腔骨龙可能是在饥饿难耐的情况下，吃掉了自己的子女。

只是母体中幼崽的胚胎

但是，有些古生物学家并不赞同这种观点。他们认为腔骨龙可能是卵生的，它们的骨架的体腔内之所以会有幼崽的骨架，是因为幼崽的胚胎正在母体中孕育，只要待到生产期，幼崽就将被母体生产出来。这种说法似乎也能站得住脚。

以上两种说法究竟孰是孰非，目前还没有定论，我们只能期待更多的腔骨龙化石标本被发现，学者们进一步研究，从而为我们揭开谜团。

探索·发现：恐龙猎人

多年以来，有许多人投身到搜集恐龙化石的工作中，他们被称为“恐龙猎人”。这里将介绍几位著名的恐龙猎人。

威廉·巴克兰

英国地理学家威廉·巴克兰对19世纪地质学、古生物学和考古学的发展都产生了重要的影响。1815年，威廉·巴克兰鉴定了来自某种已经灭绝的爬行动物的化石。1824年，这种爬行动物被巴克兰命名为“斑龙”。

这样一来，巴克兰就成为第一位描述并命名恐龙的人，尽管他在当时并没有使用“恐龙”一词。

吉迪恩·曼特尔

另一位早期恐龙猎人是英国医生吉迪恩·曼特尔。1822年的一天，他和妻子出诊时，在苏塞克斯郡发现了数颗牙齿化石。

1825年，在发现牙齿化石的3年后，曼特尔将这种牙齿类似于鬣蜥牙齿的动物命名为“禽龙”，意思是“鬣蜥的牙齿”。

理查德·欧文

1841年，英国古生物学家理查德·欧文对这些动物化石做了集中研究。他认为，这些爬行动物属于一个之前没有被认识过的种群，他称之为“恐怖的蜥蜴”，我国翻译为“恐龙”。

科普和马什

科普和马什命名了大约130种恐龙，其中包括梁龙和剑龙。他们是值得为人们所铭记的著名的恐龙猎人，他们为恐龙标本的发现和研究做出了重大贡献。

第三章

身负秘密的恐龙

Shen fu Mimi de Konglong

慢龙的食性之谜

在非洲大草原上，羚羊妈妈告诉羚羊宝宝一定要跑得飞快，只有比奔跑速度最快的狮子跑得还快才能生存下去；而狮子妈妈则告诉小狮子不用跑得比所有羚羊都快，只需跑赢最慢的羚羊，就不会饿死。在动物世界中，跑得快是非常大的优势，但在恐龙王国中却偏偏有一种恐龙以慢著称，这就是慢龙。

恐龙界的慢性子

慢龙生活在白垩纪晚期，它们是一种只靠两足行走的恐龙，目前被归入兽脚类，同时具有原蜥脚类、鸟臀目恐龙的特征。

听到慢龙的名字就可以想象出它们那慢吞吞的样子了。慢龙是一种两足行走的恐龙，身体比一辆小轿车略长些。慢龙头部小而窄，下颌单薄，吻端是无齿的喙，口中长有类似原蜥脚类的尖锐颊牙，两颊有肉质颊囊。

慢龙上肢短小，长有3根手指，指尖上有利爪。古生物学家们根据发掘出来的化石推测出慢龙大腿比小腿长，足部短宽，不能像其他兽脚类那样快速奔跑和捕食活的动物，只能轻快地行走，至多慢跑。

当你看到其他恐龙迈开四肢狂奔的时候，慢龙则可能尽自己最大的努力，也不过是缓慢地小跑着，以至于看起来就像是吃饱喝足后在懒洋洋地散步。

慢龙到底吃什么

关于慢龙的食性，古生物学家们众说纷纭。

有的古生物学家认为，慢龙有力的前肢和长长的爪子，特别适合挖开蚁巢，取食蚂蚁，其娴熟程度就像食蚁兽似的，所以它们可能以蚂蚁为

食。还有的古生物学家根据化石发现慢龙的脚上有蹼，这说明它们会游泳，所以它们可能以水生动物为食。

尽管在进食食物的种类上有分歧，这两派古生物学家都认为慢龙是肉食性恐龙。

然而，还有一种观点是：慢龙的嘴的边缘没有牙齿，两颊还长有颊囊，这说明它们可以很有效地将叶子切成碎片并嚼食；而且慢龙的下颌显得无力，捕食滑溜溜的水生动物可能并非易事；它们的腹部很大，由此可推断出它们的肠子很长，这都说明它们更适合以植物为食。

如果这种观点正确，那么慢龙应该是一种极为特殊的吃植物的兽脚类恐龙。

古生物学家们之所以还不能确定慢龙到底以什么为食，主要是因为慢龙的身体兼具肉食性恐龙和植食性恐龙的特征：同其他两足行走的肉食恐龙一样，它们颌后部生有能切割食物的利齿，但颌前部却是一个无牙的喙嘴，这又与某些草食动物的特征相同。慢龙的腿和蹼足也与普通肉食动物不同。

到目前为止，由于与慢龙相关的化石太少，所以古生物学家们依然不能确定慢龙到底以什么为食。对于慢龙的食性，至今也没有一个确切的论断。

三叠纪最恐怖的捕食者之谜

艾雷拉龙生活在三叠纪中晚期。艾雷拉龙的第一块骨骼化石是阿根廷一位叫艾雷拉的农民无意中发现的。为了纪念他，这种恐龙就被命名为“艾雷拉龙”。

外形

艾雷拉龙体长约5米，体重约180公斤，它们的头部从头顶往口鼻部逐渐变细，鼻孔非常小。下颌骨处的关节弹性很大，在它们张口时，颌部由前半部分扩及后半部分，因而能牢牢地咬住挣扎的猎物。它们的四肢强健有力，但是前肢明显短于后肢，依靠两足行走，长有锋利的爪。这几种特征相加，让艾雷拉龙的捕猎能力大为提升。

行动敏捷

艾雷拉龙具有敏锐的听觉和灵活的四肢。别看它们体形不小，其实骨骼纤细轻巧，这就让它们的动作变得格外敏捷，加上后肢强健有力，它们的奔跑速度相当快。然而，它们究竟是否为三叠纪时期最矫健的猎手，现在还没有定论。

习性

艾雷拉龙主要捕食一些爬行类动物和小型植食性恐龙，它们经常会用锋利的牙齿和爪子对付敌人和猎物。尽管在卧虎藏龙的恐龙世界中，艾雷拉龙的体形、攻击力等客观条件都不是最好的，目前并没有证据表明它们是三叠纪时期战斗力最强的恐龙，但是，与任何其他类恐龙相搏斗，艾雷拉龙都不遑多让。灵敏的听觉、闪电般的奔跑速度，这些证明它们有可能是那个时代最恐怖的捕食者。

里奥哈龙为什么站不直

里奥哈龙是一种植食性原蜥脚类恐龙。它们生活在三叠纪晚期，其化石是在阿根廷拉里奥哈省被发现的。

外形

里奥哈龙的体形比较大，体长在10米左右，头部较小，有着长而细的脖子，前、后肢长度差不多，粗壮有力，尾巴细长。里奥哈龙是一种巨大的原蜥脚类恐龙，生存于三叠纪晚期，它们的身体十分健壮，是名副其实的大块头。

特别的骨头

在蜥脚类恐龙出现之前，里奥哈龙是已知的最大的陆生动物，它们全长约10米，重约1吨。

里奥哈龙身躯庞大，四肢粗壮有力，但是它们不是很重，这是因为里奥哈龙的脊椎骨是中空的。中空的脊椎缓冲了身体对腿部造成的压迫，让里奥哈龙站着不再那么费劲。除此以外，它们的荐椎也比较特别，大部分的原蜥脚类恐龙都只有3节荐椎，但里奥哈龙不同，它们的荐椎多出1节来，共有4节。

为什么站不直

有的古生物学家认为，由于中空的骨骼结构，里奥哈龙无法直立。里奥哈龙的体形比板龙的还大一些。由于体形较大，前肢、后肢的长度相近，前肢无法直立，后腿支撑不起前半身的巨大重量，必须用四肢来支撑身体的重量，因此里奥哈龙采用四肢行走，并且站不直。

但是，有的古生物学家则不认同这种观点。他们认为，里奥哈龙因为身体庞大，只能缓慢移动，且上下起伏，看起来好像总是哈着腰，其实这只是它们的一种行进方式。

虽然里奥哈龙站不直的原因我们尚不得而知，不过我们不难想象到这样的画面：在茂密的原始森林里，身形佝偻的里奥哈龙缓慢地挪动着身躯，低头啃食各种蕨类植物。它们悠然信步，与世无争。

嗜鸟龙会捕鸟吗

嗜鸟龙是生活在侏罗纪晚期的小型肉食性恐龙，它们的体形很小，身体可能还没有一只山羊大，在恐龙界算是小个子了。它们的名字似乎表明它们喜欢以鸟类为食，善于捕捉鸟类。事实果真如此吗？

习性

嗜鸟龙的头顶上有一个小型头盖，牙齿很厉害，嗜鸟龙既可以快速追捕猎物，又可以及时避开那些因巢穴被掠而狂怒的大恐龙。嗜鸟龙主要以当时的一些小型哺乳动物、蜥蜴以及其他小型爬行动物，甚至是孵育中的其他恐龙为食，饮食范围十分宽泛。但也有人推测，嗜鸟龙可能会专找一些大型恐龙进行围攻，或者以其他动物的腐尸为食。

尽管从名字上看，嗜鸟龙是以偷食鸟类为生的，但实际上，没有证据显示它们曾真的捕食过鸟类，不知道当初为什么得了“嗜鸟龙”这个名称，似乎有点儿名不副实。

不同的声音

尽管目前尚没有明确证据显示嗜鸟龙捕鸟，但是仍有不少古生物学家认为嗜鸟龙会捕鸟。研究发现，嗜鸟龙发现目标时会突然跃起扑向猎物，这一方法很适合捕捉早期的鸟类、类似鸟类的恐龙以及翼龙，但其真实性仍待考证。

高超的捕猎技能

到目前为止，人们只发现了一具完整的嗜鸟龙骨架。嗜鸟龙前肢上的第三个小手指像人类的手指那样，可以向内弯曲，以便帮助它们抓握住扭动挣扎着的猎物。前肢上的其他两个手指特别长，很适合抓紧猎物。此外，嗜鸟龙具有超常的视觉能力，体重很轻，但后脚则像鸵鸟的一样强韧有力，跑得很快，牙齿又长又尖像把短剑，十分适合咬食猎物。其鞭子般的尾巴占了身长的一半以上，在追赶猎物时可以起到维持平衡的作用。以上种种可以证明，无论是否会捕鸟，嗜鸟龙都是一种凶悍无比的肉食性恐龙。

五彩冠龙的头冠之谜

五彩冠龙是已知最早的暴龙类恐龙之一，它们长有巨大的头部和一对翅膀似的前肢，前肢上布满了羽毛，看上去既像恐龙，又像鸟类。

名称的由来

五彩冠龙的外形非常独特。它们的头上长着中空的头冠，就像公鸡头上的鸡冠一样，所以被称作“冠龙”。而其名称中之所以有“五彩”二字，是因为这种恐龙化石的发现地点——五彩湾有许多色彩绚烂的岩石。而“五彩冠龙”的名字又很好地诠释了其外形特征。

华而不实的精致头冠

古生物学家的研究表明，五彩冠龙的前肢可能覆盖有羽毛，头冠大而且夸张，造型奇特，是恐龙界最精致的头冠，独树一帜，艳丽无比，十分引人注目，可见五彩冠龙可谓是恐龙界的颜值担当。

五彩冠龙的头冠虽然好看，但是它们就像孔雀的尾巴一样华而不实，没有什么用处。五彩冠龙的头冠很脆弱，既不能作为进攻的武器，也不能作为防身的盾牌，有些古生物学家认为五彩冠龙的头冠仅仅是被用作炫耀自己的地位，或者作为吸引伴侣的装饰而已。但是，有些古生物学家则不这么认为，在当时弱肉强食的恶劣生存环境下，长着这样的头冠似乎并不符合进化规律，五彩冠龙的头冠可能还有着不为我们所知的特别用途，只是目前还没有被发现而已。

“龙”不可貌相

五彩冠龙体长约3米，站立起来高度也不到1米，是恐龙家族中的小不点儿。但你可别认为它们个头小就好欺负，它们发起怒来可是异常凶猛的。

虽然五彩冠龙的头冠没什么用武之地，但是它们拥有强壮的后肢和锐利的牙齿，撕咬起猎物来凶猛异常，那尖锐的牙齿可以轻易地咬穿坚硬的兽皮，令猎物毫无还手之力，而且，五彩冠龙的奔跑速度惊人，冲击力极强，是一种非常凶猛的肉食性恐龙。

镰刀龙的长爪之谜

哺乳动物王国中有一类长相奇特的珍稀动物，那就是被我们俗称为“四不像”的麋鹿。麋鹿的头似马非马，身似驴非驴，角似鹿非鹿，蹄似牛非牛。有意思的是，恐龙世界里也有这么一类“四不像”恐龙，它们就是镰刀龙。

恐龙界的“四不像”

镰刀龙生活在中国和蒙古的戈壁沙漠，镰刀龙在已知的动物里，爪子最大，因其巨大的指爪而被命名为镰刀龙。

镰刀龙的头和脚像原蜥脚类恐龙，但是牙齿和其他咀嚼构造却近似于鸟臀类恐龙；镰刀龙的腰带结构既不像蜥臀类恐龙，也不像鸟臀类恐龙；它们的前肢形态，又与兽脚类恐龙相似。鉴于以上特点，镰刀龙就被视为恐龙界的“四不像”。

镰刀龙的特征

镰刀龙区别于其他恐龙的标志是它们的前肢上分别长着3根非常长的巨爪，其中中指最长，能长到几十厘米。巨爪的形状就像是一把把长柄大镰刀，左边的巨爪爪尖朝下，右边的巨爪爪尖向上。这些爪子实在太长了，所以镰刀龙的四肢着地时，只能用关节来支撑。然而，镰刀龙的爪子具体有多大呢？目前还没有明确的数据。

恐龙中的“剪刀手”

镰刀龙胚胎

在恐龙王国中，有些恐龙凭借体重驰名，比如梁龙；有些恐龙依靠战斗力闻名，例如暴龙。而下面我们要介绍的恐龙的出名方式却非常与众不同，它们没有身高和体重优势，战斗力也不是很强，但它们却拥有最长的爪子。

镰刀龙拥有迄今为止世界上最长的爪子。它的爪子长度可能达到1米，从外观上看颇似著名电影《剪刀手爱德华》中主角的剪刀手。镰刀龙又被称为“镰刀蜥蜴”，长着长脖子，小脑袋，属于兽脚亚目中的虚骨龙类。它们每只脚上有3个脚趾，与蜥蜴相似。它们生活在白垩纪晚期，现今的中亚地区。

此前，生物学家曾报道过，不同的镰刀龙，体形存在较大差异，爪子长度也不尽相同。但毫无疑问的是，镰刀龙拥有恐龙王国中最大的爪子。

长爪子的用途

镰刀龙为什么要长这么长的爪子？这个问题自镰刀龙被发现就一直

困扰着古生物学家们。早在被命名为镰刀龙时，它们就曾被认为是性情暴烈，争强好斗，攻击性强的肉食性恐龙，但随着研究的不断深入，古生物学家们开始推翻之前的说法。虽然镰刀龙的爪子看上去非常适合撕肉，但它们却很可能是一种食草动物。

古生物学家们认为它们可能使用大型指爪去抓取树枝，然后将树叶送入嘴中。还有一些古生物学家认为它们可能是以类似白蚁的昆虫为食，用长长的爪子将大型白蚁冢挖开，然后取食。但照镰刀龙的巨大体形来看，它们似乎不太可能以小型昆虫为食，而且它们宽广的嘴部与平坦的牙齿显示它们应该是植食性动物。

到目前为止，人们仍在争论有关镰刀龙食性的问题，而只有确认食性才有可能推测出镰刀龙的长爪之谜。

始盗龙食性之谜

据说最近恐龙王国开了一家新餐厅，大大小小的恐龙都来新餐厅中尝鲜，一时间餐厅中龙头攒动，摩肩接踵。餐馆老板为了避免太拥挤，就把餐厅分成两个区：左侧用餐区写着“吃肉的”，右侧用餐区写着“吃草的”。这可难坏了始盗龙，因为它们不知道自己是吃肉的还是吃草的。

娇小的“黎明掠食者”

始盗龙在影片《侏罗纪公园》里出现过很多次。和那些动辄几十米的大个子恐龙相比，始盗龙算是袖珍恐龙，就算是成年始盗龙，也只有1米多长，体重10多公斤。打个比方，始盗龙可能和我们养的狗大小差不多。当然，始盗龙可没有狗那么温驯乖巧。始盗龙，又叫晓掠龙，因为它们大多在清晨时捕食猎物，所以也被古生物学家们称为“黎明掠食者”或“晨贼”。

一名古生物学家正在用精巧的工具将始盗龙头骨化石上的岩石颗粒除去。始盗龙的头骨如此小巧，以至于处理它的纤细骨头时必须格外小心

最早的恐龙之一

始盗龙的化石是在阿根廷的伊斯巨拉斯托盆地被发现的，在三叠纪晚期，这地方还是一个河谷，但目前已成为沙漠。发现者叫保罗·塞里诺，是芝加哥大学的古生物学家。保罗认为始盗龙是最早的恐龙之一。为什么这么说呢？因为始盗龙不仅缺乏几个恐龙的专有特征，它们还缺乏掠食性动物的特征。不同于其他的后期肉食性恐龙，它们的下颌没有可调整的关节，无法咬紧大型猎物。此外，它们只有一些牙齿是弯曲并有锯齿的。这些证据都表明它们有可能正处于某种动物向恐龙的演化过渡期。

食性如何

始盗龙是趾行动物，以后肢支撑身体。它们前肢的长度只是后肢长度的一半，而每只手都有5根手指。其中最长的3根手指都有爪，可能是用来捕捉猎物的。始盗龙可能主要以小型动物为食。它们能够快速短跑，当捕捉到猎物后，会用指爪及牙齿撕开猎物。不过如果你就此断定始盗龙是肉食性恐龙就错了，因为如果你用心观察始盗龙的所有牙齿就会发现，虽然和肉食性恐龙一样，它们口腔后部的牙齿十分锋利，但它们口腔前部的牙齿却非常平整，形状像树叶，这种牙齿不适合吃肉，只适合磨碎植物。所以它们也有可能是杂食性动物。

对于始盗龙的食性，目前古生物学界还没有一致的意见，所以这还是一个未解之谜。

南十字龙的归属之谜

前文提到了不知道该吃肉还是吃草的始盗龙，古生物学家还没有解决其食性问题，南十字龙又跑来求助。南十字龙遇到的是归属问题。什么叫归属问题呢？举个例子，老虎是兽类，天鹅是鸟类，它们的归属很清晰，所以它们不会为此感到困惑。但南十字龙却搞不清自己应该属于什么类，只好到古生物学家这里来求助。

名字来自星星

南十字龙，是恐龙总目下的一属恐龙，该物种被认为是最早的恐龙之一。以后侏罗纪和白垩纪的相当一部分食肉恐龙都由南十字龙进化而来。

相比暴龙、迅猛龙、三角龙的名字，南十字龙的名字无疑是具有一些浪漫气息的。因为它来自天空中的星星。“南十字龙”中的“南十字”是一个星座的名称。为什么

会用星座的名字来为一种恐龙命名呢？那是因为当时南十字龙被发现在南美洲巴西南部南里约格朗德州地层。因为被发现的时候是1970年，而当时在南半球发现恐龙的例子极少，为彰显其特殊性，人们便以只有在南半球才可以看见的南十字星座为这种恐龙命名。

归属之谜

南十字龙生活在三叠纪晚期，身长约2米，尾巴的长度约80厘米，体重约30公斤，是已知最古老的恐龙之一。

在谈论南十字龙的归属问题之前，我们有必要先介绍一下恐龙种群中的两个分类，其中一类是兽脚亚目，它们大多数是肉食性恐龙，两足行走，趾端长有锐利的爪子，嘴里长着匕首一样的利齿，牙齿前后缘常有锯齿，暴龙是其著名代表；另一类是蜥脚亚目，这个名字的意思是它们长着蜥蜴般的脚，这个种类下的恐龙大多是植食性恐龙，四足行走，最后演化成现在我们地球上的绝大多数陆地动物。介绍完毕，我们继续说南十字龙。

起初南十字龙的化石在巴西被发现的时候，古生物学家经过研究，认为它属于蜥脚亚目的恐龙。但后来有部分古生物学家通过对它的牙齿和姿态进行研究，发现它是一种肉食性恐龙，也就是说它应该属于兽脚亚目。但之前的研究人员依然坚持认为南十字龙的骨骸类似蜥脚亚目。所以最终的结论是南十字龙可能生活在蜥臀目的祖先到兽脚亚目和蜥脚亚目的分期进化的过渡期。至于它究竟该归属蜥脚亚目还是兽脚亚目，依据目前的化石，古生物学家们也表示证据欠乏。只好等未来更多的南十字龙骨骼化石被发现后，才有希望确定南十字龙的归属。

幽灵牧场的腔骨龙之谜

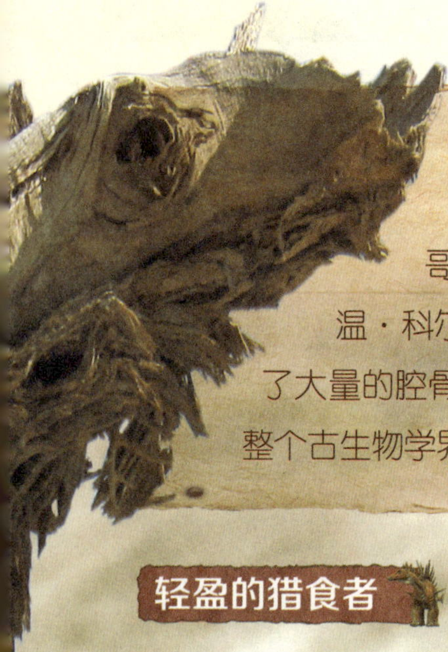

听到“幽灵牧场”这个名字，你是不是觉得很恐怖？幽灵牧场位于美国新墨西哥州，是1947年由美国著名古生物学家埃德温·科尔伯特发现的。他和他的同事们在这里发现了大量的腔骨龙化石，这一发现一经公布便立刻震惊了整个古生物学界。

轻盈的猎食者

腔骨龙，又名虚形龙，是北美洲的小型肉食性双足恐龙，身长2至3米，牙齿也是标准的猎食性恐龙的牙齿，锋利如剑，并向后弯，牙齿的前后缘有着小型的锯齿边缘。腔骨龙也是已知最早的恐龙之一。

它们为什么叫腔骨龙呢？因为它们的四肢骨头是空心的。空心骨头必然导致体重很轻，所以身体灵活的腔骨龙善于奔跑，捕猎本领高超。

幽灵牧场之谜

现在几乎所有的腔骨龙研究都来源于美国新墨西哥州的幽灵牧场。由于在幽灵牧场发现的腔骨龙化石数量非常多，古生物学家只好把大块的岩石切割下来，运回去研究。

研究发现，有数百具扭曲的腔骨龙化石交错着，其中有雄性的，也有雌性的，有幼年的，也有成年的。

令古生物学家感到疑惑的是：为什么各个年龄段、不同性别的恐龙会一起死在幽灵牧场呢？古生物学家根据一些埋葬学方面的理论，推测出这些恐龙可能正聚集起来进食，或从废弃的水坑中喝水，或捕食刚出生的鱼类，为突发性的洪水所埋葬。还有些古生物学家认为，这群腔骨龙遇到了一场大沙暴，最后变成了化石。究竟哪种说法更准确呢？现在还不得而知。

由于在幽灵牧场的腔骨龙标本肚子中，发现了幼龙的标本，所以，有的古生物学家认为它们有同类相食习性。但研究证明这些标本其实是被曲解了，这些所谓幼年腔骨龙的标本其实可能是小型的镶嵌踝类主龙，如黄昏鳄，没有任何证据证明腔骨龙是吃同类的。不过要有新的证据来显示其胃部的生物究竟是什么，才可以进一步了解真相。

腔骨龙化石

进入太空的腔骨龙

腔骨龙是第二种进入太空的恐龙。1998年1月22日，一个来自卡内基自然历史博物馆的腔骨龙颅骨被置入“奋进号”航天飞机中，执行相关任务，并被带到“和平号”太空站之中，然后随着航天飞机返回地球。

霸王龙的亲戚之谜

霸王龙是一种生存于白垩纪末期的肉食性恐龙，属暴龙科中体形最大的一种。它们生性暴虐，雷厉风行，颇有“霸王”习气，是最晚灭绝的恐龙之一。

生活习性

霸王龙体长11.5～14.7米，臀高可达到5.2米左右，头高近6米，重约9吨，是体形最粗壮的食肉恐龙。

相对霸王龙的巨大体形和后肢来说，霸王龙前肢短小，相当于一个

成年人的手臂。前肢位置靠后，无法摸到自己的嘴，更无法触及自己的脚部，可能其作用仅仅是平衡它们的巨大的头部。

霸王龙和鸟类是亲戚吗

有的古生物学家认为，霸王龙和鸟类是亲戚。霸王龙属于兽脚亚目恐龙，这个种属的恐龙都是双腿站立的，而所有的鸟类都是兽脚亚目恐龙的后代，所以，它们应该是亲戚。此言论一出，人们不禁哗然。大家很难想象霸王龙这种古老的庞然大物和纤弱的现代鸟类之间竟然存在着千丝万缕的联系。

诸城暴龙是霸王龙的亲戚吗

巨型诸城暴龙化石被发现于中国山东诸城，从标本保存的上颌骨和

牙齿系列来看，诸城暴龙的上颌骨上升突基部侧面有一平台，上颌窗前缘有一圆形凹缺，还有一套独特的特征组合，这些特征区别于暴龙类的其他属种，因此是一种新的暴龙属种，可谓霸王龙的“亲戚”。虽然这种观点尚待论证，但是听上去要比鸟类是霸王龙的亲戚好接受一些。

亲眷众多

霸王龙充满霸气，魅力无限，许多恐龙都来跟霸王龙攀亲戚，例如，跃龙、双冠龙、角鼻龙、永川龙、巨齿龙、棘龙、艾伯塔龙、特暴龙、食肉牛龙等。

霸王龙到底有多少个亲戚，随着科学的进步和新的证据的出现，古生物学家们的研究结果也是在变化的，我们只好拭目以待，迎接霸王龙庞大的亲友团了。

橡树龙身长之谜

橡树龙是一种生活在侏罗纪晚期的植食性恐龙，有可能是群居的，像现在的鹿一样。

强劲的后腿

橡树龙的体形、外形等某些特征类似棱齿龙科，但古生物学家认为它们不属于棱齿龙科，而将它们归类于个别的橡树龙科。橡树龙具有数个白垩纪禽龙类的特征，因此它们可能是禽龙类直系祖先的近亲。

橡树龙的眼睛很大，眼睛前面有一根特殊的骨头可以托起眼球和眼睛周围的皮肤。它们的嘴巴类似于鸟喙，嘴巴里没有牙齿，但是长有锋利的颊牙。与其他恐龙不同的是，橡树龙的鼻孔上没有鼻梁支撑，目前尚不知它们是如何保持呼吸的顺畅的。

橡树龙前肢较短，有五根手指，拥有长而强劲的后腿。后腿筋腱发达，强壮有力，可以支持它们迅速奔跑。坚硬的尾巴可以协助后腿，保持平衡。它们是快跑能手，当遭受到任何一种残暴的食肉恐龙的威胁时，它们都能用长长的后腿以最快的速度逃离。

恐龙ID卡

名称：橡树龙
身长：2.4～4.3米
体重：约100千克
生活时期：侏罗纪晚期
化石发现地点：美国中西部、英国

植食习性

橡树龙口腔里有臼齿，臼齿上长有宽阔的深槽，能够轻易地将树叶、根茎等食物磨碎，帮助消化。

身长之谜

有的古生物学家认为，橡树龙身长约3.5米。有的古生物学家则不认同，他们认为橡树龙更高，这样可以方便取食高处的树叶。由于目前尚没有足够的化石出土，因此，古生物学家只能提供橡树龙身长的区间，其准确身高尚不能确定。让我们和古生物学家一起，等待新数据的出现。

板龙为何会集体死亡

古生物学家曾在德国发现一个具有2亿多年历史的板龙化石群，无数的板龙骨骼化石堆叠着。如此多的板龙一起死亡，让为数众多的古生物学家对此产生了浓厚的兴趣。

三叠纪时期最大的素食恐龙

一谈到恐龙，人们脑海中就会浮现出体形庞大的史前动物形象。其实，恐龙在地球上刚刚出现的时候，体形并不大，大概只有野猪般大小。到了距今2亿年前的三叠纪晚期，板龙出现在地球上，这是第一类体形巨

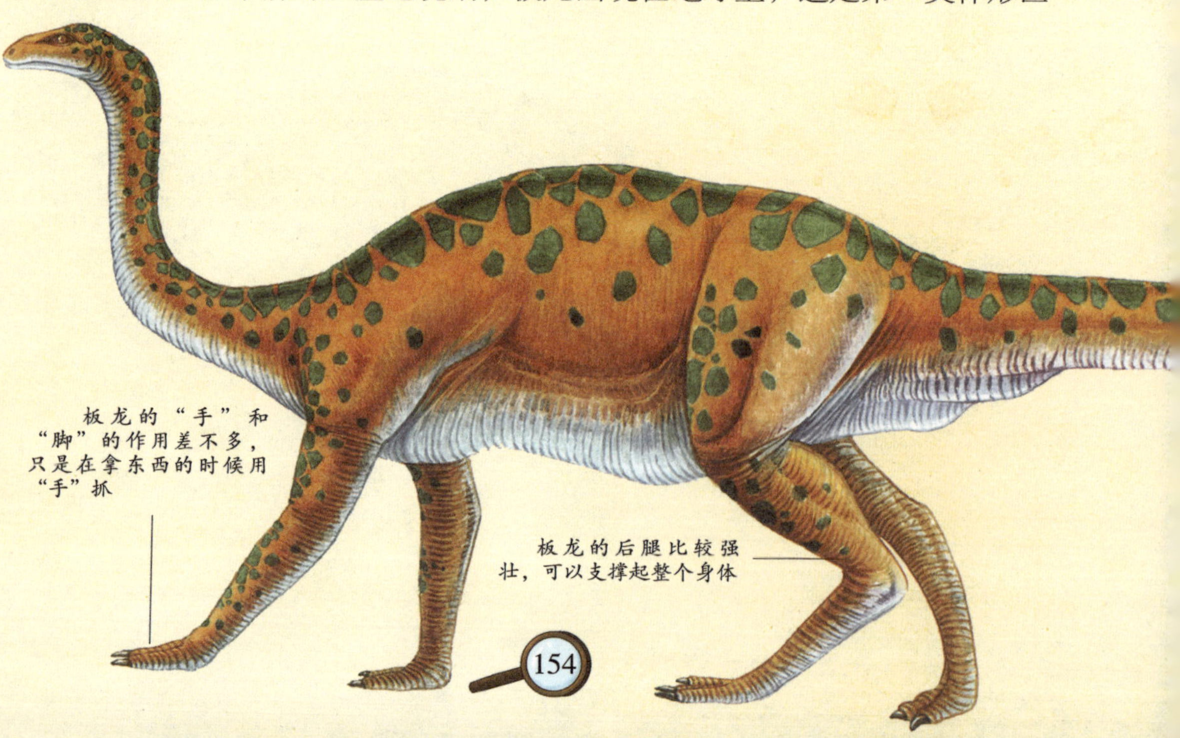

板龙的“手”和“脚”的作用差不多，只是在拿东西的时候用“手”抓

板龙的后腿比较强壮，可以支撑起整个身体

大的食草恐龙，成年板龙身长8米左右，有一辆公共汽车那样长，虽然比起后来出现的一些几十米长的恐龙是小巫见大巫，但板龙却是恐龙大型化的先锋。板龙与在它之前生存的任何一种恐龙都不同，它可以够到最高的树木的树梢。板龙的牙齿和上下颌的结构都不大适合咀嚼。因此，板龙大概是通过吞下各种石头，将石头储存在胃中，像一台碾磨机那样滚动碾磨，把食物碾成糊状。

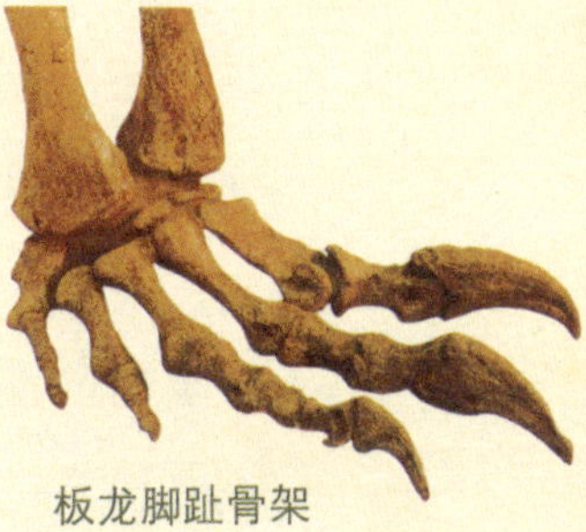
板龙脚趾骨架

十几只恐龙站立而死

你也许见过动物们死亡的场景，它们几乎会无一例外地翻倒在地。如果你看到一群庞然大物站立着死去，会不会觉得自己正在做一个可怕而怪诞的梦？古生物学家还真的发现了一群站立而死的恐龙。

你肯定已经猜到了，没错，那些被发现的恐龙就是板龙。

这张图片描绘了一群板龙聚在河边饮水的情景。在德国、法国和瑞士发现了许多板龙化石

一般来说，动物死后会躺倒在地，腹部应该朝向水平方向，而这些板龙腹部朝下，说明它们都是站立死亡的。

为什么它们会站立着死去呢？

凶手是沙暴还是沼泽

最早研究这批板龙的古生物学家猜测，由于板龙是群居动物，它们会在干旱的季节向水源迁徙，迁徙过程中，它们也许在穿越沙漠时，突然遭到了沙暴的袭击，无处躲藏，于是被黄沙埋了起来，形成了站立的姿势。但是，这个解释不

太令人信服。虽然三叠纪时期地球环境比较恶劣，可在板龙发现地的地层中并没有发现存在沙漠的证据，所以后来的古生物学家提出了另外的解释。他们认为，这些板龙可能陷入了沼泽地的淤泥中，无力爬出来，最后被淤泥吞噬，形成了站着死的姿势。但是，如果板龙群体是一时不慎陷入淤泥之中的，那么前面的板龙陷入淤泥，后面的板龙自然就会躲避，一般来说一两只板龙被吞噬是有可能的，不会出现许多板龙都被吞噬的情况。在此后的挖掘过程中，人们总计在德国那个地点挖掘出了42具板龙的骨架化石，它们无一例外全是站立而死的。所以陷入淤泥的解释也无法令人信服。

除此之外，还有第三种推测，那就是山洪暴发引发的泥石流吞噬了这群板龙。这群板龙在移动过程中，遭遇暴雨，山洪挟带大量的泥石滚滚而下，虽然板龙体形很大，但在泥石流中却显得很渺小，它们先是被冲下来的泥石流围困在一处，最后被泥石流吞没了。于是，就为我们呈现了这样一幅大量板龙站立而死的凄惨画面。

当然，上面这些观点都是古生物学家的推测，似乎最后一种解释最可信。

雷龙是胎生还是卵生

雷龙属梁龙科，包括埃阿斯迷惑龙和路氏迷惑龙。成年雷龙身长35米左右，身高4～5.5米，重达30吨，比此前发现的最大的生物还要重。如此巨大的雷龙是胎生还是卵生，经过多年研究查证的古生物学家们依然迷惑不解。

走路如同打雷的恐龙

1.4亿年前的北美洲丛林，午后时分，翼龙和始祖鸟在树上悠然栖息，偶尔扇动几下翅膀；林中时而传来几声昆虫的鸣叫。突然，由远而

近，传来“轰、轰”的声音，越来越响，好像雷声一样沉重。然而，天空中白云飘飘，并没有要下雨的样子，那这雷声是从哪儿来的呢？片刻之后，一只巨大的恐龙慢悠悠地走了出来，因为身体过于沉重，所以每一步都发出闷响。根据这个特点，古生物学家就给它起了雷龙的名字。

是胎生还是卵生

大多数恐龙都是卵生的，但雷龙是否也是如此呢？有些古生物学家认为，如果雷龙的水性很强，极少回到陆地上，一次产卵数量较少，那么它卵胎生的可能性比较大，就像鱼龙一样。但他们认为雷龙一次能产许多枚卵，呈同心圆排列，利于孵化。而且，小雷龙出生后不久，便离开窝巢，外出找食。所以雷龙是卵生的。

但是，有的古生物学家却持有不同观点，美国科罗拉多大学博物馆古生物馆前馆长贝克就认为，雷龙应该是胎生的。他通过对40～50具成年雷龙的骨架的分析研究，发现雷龙的盆骨比其他大多数恐龙的要宽得多。这样宽的盆骨，足以容纳下雷龙的胎儿，而且还能使其顺利分娩。

以上两种观点均有一定的道理，究竟孰是孰非，还要等进一步的化石研究才能判定。

“杀”人最多的恐龙

你们知道杀人最多的是哪种恐龙吗？不不不，并不是凶恶的暴龙，而是雷龙。自从电影发明以来，雷龙就常在电影中出现。在1925年的特效电影《失落的世界》中，一只雷龙与异特龙打斗，殃及了无辜的人类。在1933年的特效电影《金刚》中，一只雷龙挥动尾巴，杀死了几个人。在2005年版本的《金刚》中，一群逃窜的雷龙踩死了很多人。雷龙还真是有口难辩，身上的疑团尚没有被揭开，电影工作者和艺术家们又为它平添了如此多的罪证。

鸭嘴龙繁荣之谜

在白垩纪时期，地球上有一种非常繁荣的恐龙族群，它们的身影遍布亚洲及北美洲各地，它们的数量占据了当时地球上植食性恐龙的75%，这意味着每10只食草恐龙中，就有至少7只是鸭嘴龙。当时地球上肉食性恐龙非常多，而鸭嘴龙还能如此繁盛就令人非常吃惊了。

第一个原因：植物茂盛

距今约1亿年的白垩纪晚期，是地球历史上动荡的时代，陆地面积在扩大，沼泽、湖泊星罗棋布，有花的被子植物开始繁茂起来，一年四季都飘散着芳香。早期恐龙喜欢吃的裸子植物少了，仅留下苏铁、松柏、银杏以及一些蕨类植物等典型的中生代植物群落，被子植物开始排挤裸子植物

鸭嘴龙涉水图

而居于统治地位，其中有些类群已经具备了现代特征。这样的自然环境使那些适应能力差的，依赖裸子植物为生的恐龙相继死去，但却特别适合素食恐龙的发展，鸭嘴龙就是其中的一大类，它们因此变得兴旺发达。

第二个原因：耐力好

鸭嘴龙不像剑龙和甲龙，它们没有护甲和角，跑起来也是慢吞吞的。和那些凶猛的肉食恐龙比起来没有一点儿优势，不过它们的耐力却非常好，即便是跑得比较慢，但却能持续很长时间。如果是长途奔跑它们会赢得最终的胜利。

除此之外，鸭嘴龙通常都群居生活，周围全都是自己的同类。这就意味着许多双眼睛和耳朵都在警惕地观察着四周。而且不同于狮子通过草丛靠近斑马，一只12米长的暴龙或许很难从森林中悄悄靠近猎物。

除了以上两点之外，部分古生物学家认为鸭嘴龙之所以如此繁荣，更重要的可能是与鸭嘴龙的繁殖能力强有关，毕竟食物丰富和耐力好都没有繁殖能力强更重要。

当然，以上因素都是古生物学家们的推测，未免以偏概全，或许鸭嘴龙族群繁荣还与其他因素有关。

鸭嘴龙是我国发现的第一条恐龙

1915年，在黑龙江省嘉荫县龙骨山发现了鸭嘴龙的化石。化石埋藏在地下，由于受到黑龙江的长期冲刷，恐龙化石不断地暴露出来，散布在江边的泥滩上，当地渔民发现了这些大骨头化石后非常惊奇，认为是龙的骨头。随后，俄国地质学家来我国进行大规模的调查与发掘，依靠所采集到的化石又配上占全部骨架1/3的石膏，装成了一具平顶鸭嘴龙骨架，定名为鸭嘴龙科满洲龙属，现存于俄罗斯圣彼得堡地质博物馆。

充满争议的冰脊龙

如果在恐龙世界中寻找一个时尚达人的话，一定非冰脊龙莫属。为什么这么说呢？看看它的发型你就知道了。

奇特的发型

冰脊龙又名冻角龙，是一类大型的双足兽脚亚目恐龙，它是第一只在南极洲被发现的肉食性恐龙，且是首只被正式命名的南极洲恐龙。从被发现到现在，冰脊龙一直因为奇特的头冠而被关注。和一般的恐龙头冠不同，它的头部有一个像西班牙梳的奇异冠状物，不是从前往后生长，而是横着生长，就像大名鼎鼎的摇滚歌王——猫王埃尔维斯·普雷斯利的发型，因此它也有一个非正式的昵称——埃尔维斯龙。但时至今日，也没有人能搞清楚它的奇特头冠究竟是怎么长出来的，难道单纯是为了显得与众不同吗？

冰脊龙胖瘦之谜

一提到南极，我们大概都会想到寒冷的冰雪世界，以及体形浑圆的企鹅。南极气候寒冷，动物要依靠厚厚的脂肪来抵御寒冷，所以企鹅才是圆滚滚、胖嘟嘟的。那么生活在南极的冰脊龙是胖还是瘦呢？有部分古生物学家认为冰脊龙也像企鹅一样，长得胖胖

的，用脂肪来御寒；但另一些古生物学家认为，如果冰脊龙长得太肥，可能会饿死，因为肥胖的身体会影响到它的身体敏捷性和奔跑速度，捕食的成功率会降低，所以一直饿肚子的冰脊龙不可能是个胖子。当然，当时的南极洲有可能没现在这么冷，所以冰脊龙也不用太多的脂肪来御寒。

由于肌肉无法形成化石，所以古生物学家无法通过只剩下的恐龙骨头化石来推断冰脊龙的胖瘦。

难测的冰脊龙的体温

20世纪90年代，古生物学家在南极洲发现了冰脊龙的骨骼化石。他们通过检测某些特定岩石的碳化粒子，测得那里当时的纬度，发现侏罗纪早期的南极洲还没有漂移到高纬度地区，而通过检测土地结冰所形成的地质结构，得知南极洲在当时已具有了季节性寒冷气候。

人们不禁怀疑，如果冰脊龙是冷血动物，它能否忍受南极严寒的气候？因为冰脊龙如果要在南极度过长达6个月的冬季的话，自身必须维持足够高的体温，不然体温会随着环境的温度一起降低，直到被冻僵。有的古生物学家以此推测，冰脊龙应该是一种温血动物。但有的古生物学家反驳说，冰脊龙很可能在夏天暖和一些的时候才会迁徙到南极，并不是常年居住在那里，所以不一定非得有恒定的体温。持有不同观点的两派古生物学家都据理力争，毫不相让。这个问题至今都没有确定的答案。

剑龙为何最先灭亡

剑龙是恐龙王国最威武的武士，它们身披战甲，威风凛凛。远远看去如同移动的堡垒，任何一只胆敢攻击它们的恐龙都会被其结实的铠甲阻挡。然而，它们却是恐龙族群中最先灭绝的，这是为什么呢？

身披金丝铠甲的恐龙

剑龙生活在侏罗纪中期到白垩纪早期，是一种巨大的植食性恐龙。它们身长6～12米，重量可达2吨。剑龙是完全用四足行走的恐龙，大小与大象差不多，前肢较短，后肢较长，整个身体就像拱起的小山。在恐龙王国中，剑龙可算赫赫有名，这要感谢它们背部的巨大三角形骨板及尾巴上的四根尖刺。厚实的骨板用来抵挡食肉恐龙的攻击，尾巴上的尖刺则可以当成反击的武器。

经研究，古生物学家们认为剑龙的骨板还有调节温度的用途。当气温降低时，剑龙就会张开骨板，吸收阳光的热量；气温升高时，又会将骨板转一下，利用凉风散热。这样看来，早在上亿年前，剑龙就使用天然的“太阳能”和“散热片”了呢！

最先灭绝之谜

在恐龙中，剑龙是最早绝灭的类群。这是为什么呢？

和巨大的身体相比，剑龙的脑袋小得可怜，脑容量恐怕还赶不上一条宠物狗的。剑龙的颅骨化石显示其脑容量非常小，可能是所有恐龙中最小的。这意味着剑龙的智商很低，是恐龙中的笨家伙。虽然没有证据显示智商低的恐龙更容易灭亡，但想必这也是原因之一。

剑龙的外形低平而狭长，行走时，臀部高高拱起，而头部位置较低。这样的身体构造导致剑龙只能看到低矮的植物，并且以这些植物为食。然而，等到较高的植物成为新的食物源，新的大型植食性恐龙就会出现，与剑龙争夺食物源。不适应新食物和在生存竞争中的失利，或许是剑龙迅速走向衰退和灭绝的重要原因。

顾氏小盗龙之谜

恐龙家族中的成员可能并不都是像人们过去所想象的浑身长着鳞片、巨大而恐怖的爬行动物，它们也不都是粗壮丑陋的猎杀者。其实，很多恐龙应该是五彩斑斓的，非常漂亮，像鸟类一样，它们的生活习性可能也跟现在的鸟类相似，非常活跃。

会飞的恐龙

说起会飞的恐龙，我们首先想到的肯定是翼龙，但事实上翼龙并不是恐龙。2003年的时候，终于有一种恐龙能被称为“会飞的恐龙”，这就是在中国辽宁发现的顾氏小盗龙。顾氏小盗龙全长大约77厘米，爪子尖锐而弯曲，尾巴比身体还长。除了前肢较短外，它的前肢结构和胸骨发育得很好，更加接近于现代鸟类。它集4个翅膀于一身，这种形态在其他脊椎动物中至今还没有发现过。不过，虽然从化石上能够推测出顾氏小盗龙生有4个翅膀，但是否真的能够飞翔还要打个问号，因为古生物学家们还没有确定这4个翅膀是用于飞翔的还是用于滑翔的。

证明了鸟类从树上起源

很多年前，古生物学家们就开始怀疑现代鸟类是由恐龙进化而来的，但是，恐龙是如何脱离地面，演化成飞翔在蓝天中的生物的呢？演化的具体步骤又是什么呢？这些问题却一直未被解答。对于鸟类飞行起源这个谜，学术界一直存在着两大推断：“树栖起源说”和“地栖起源说”。

“地栖起源说”，也称“奔跑起源说”。这一假说认为，鸟类的祖先是两足行走的小型兽脚类恐龙。它们在奔跑过程中，前肢逐渐解放出来，进化出拍打能力，起到加速的作用，从而获得起飞速度，飞离地面，冲向蓝天。翅膀就是在这一过程中，由前肢演变而来的。

“树栖起源说”则认为鸟类的祖先最早生活在树上，经常用羽毛借助重力向下滑翔，日复一日，就形成了强大的主动飞行能力。

这两种假说从产生的那天起，就一直争论不休。双方支持者都在不停地寻找切实的化石证据，来证明自已学说的正确性。

顾氏小盗龙的发现，令古生物学家们发现了它们生活在树上的证据，例如它们弯曲的爪子不适合在陆地上奔跑，还长有4个翅膀，等。这也从一定程度上为“树栖起源说”提供了有力的证据。

暴龙是捕食者还是腐食者

作为恐龙王国中的大明星，暴龙一直为古生物学家所津津乐道。它们的一举一动都被注视着，稍有不慎就会成为报刊的头版头条。这不，最近因为吃饭问题，它们又被“各路媒体”盯上了。

一天要吃90多千克肉

暴龙是生活在白垩纪晚期的肉食性恐龙，它们体形巨大，后肢强健，牙齿锋利，一向被认为是生性残暴的“霸王”。

暴龙块头很大，食量惊人。古生物学家估计它们每天平均要进食90多千克的肉才能维持生存。如此看来，暴龙如果顿顿吃鲜肉，恐怕供给就难以保证。它们必须经常花力气去追捕猎物，还要保证次次马到成功。其中的压力只有暴龙自己心知肚明。所以，部分古生物学家认为暴龙可能是食腐肉的恐龙。

这个推测并不是凭空而来的，几年前，古生物学家在加拿大发现了一个鸭嘴龙的“群葬墓”。墓中的鸭嘴龙骨架重叠，数量众多。科学家研究认定，这群鸭嘴龙死于一次巨大的洪灾或干旱。就在这些鸭嘴龙的遗骨

上，科学家又发现了令人惊讶的事情——遗骨上面有暴龙的齿印，而且还有不少断齿。这表明，鸭嘴龙死后，它们的腐尸曾被暴龙啃噬过。

又猎食，又食腐

暴龙食腐的推断很快就被另一些古生物学家推翻了，因为他们在研究一具鸭嘴龙的化石骨架时发现，其尾骨的上方缺了一大块，从齿痕判断，这正是暴龙的“杰作”。有趣的是，古生物学家发现，在鸭嘴龙尾骨的伤残处又长出了新骨。这说明，暴龙是从后方在鸭嘴龙的尾巴上咬了一口。但这次捕猎行动是失败的，鸭嘴龙逃脱了。后来侥幸逃生的鸭嘴龙不仅自己把伤养好了，而且又活了很长时间才死掉。

这个证据表明暴龙并不是类似秃鹫的食腐动物。

尽管新研究可以证明暴龙为食肉动物，但古生物学家也表示，这并不意味着暴龙不食腐，也许它们不那么挑食，又猎食，又食腐。

阿马加龙身上的棘刺之谜

地球上没有哪个时代，能像恐龙时代这样激发人们的想象力。恐龙与地球上现存的任何生物都如此不同，各种稀奇古怪的恐龙形态就像出自儿童天马行空的涂鸦，但它们又是如此真实。例如下面我们要讲的这个家伙——阿马加龙。

奇特的阿马加龙

早在亿万年前，地球并不是现在我们看到的样子。亚洲大陆和美洲大陆都还没有形成，而在南半球，曾经有一块非常大的大陆，可能比现在的亚洲大陆还要大，它被称为冈瓦纳。中生代的侏罗纪和白垩纪，很多恐龙都生活在这片大陆上，其中有一种脖子后方有两列长棘刺的蜥脚类恐龙，就是阿马加龙。

阿马加龙是叉龙科下的一个属，是小型的蜥脚下目恐龙，约有10米长。它们是四足的植食性恐龙，有着长而扁的头颅骨及长颈，与其亲属叉龙相似。但是，它们的颈背有两列平行的棘刺，比其他蜥脚下目恐龙要高。至于这两列平行的棘刺是做什么用的，别着急，我们马上就要讲到了。

神秘的棘刺

阿马加龙的最大特征是长有名叫“神经棘”的两列棘刺，这两列棘刺从头部到背部的背骨中长出。由于棘刺细而易损，看来不宜用于防御。有的古生物学家认为，在各神经棘之间有皮膜的“帆”。“帆”中有血管通过。“帆”有可能对着太阳来加热血液，也有可能对着风来释放热量；也有的古生物学家推测它的用途是迷惑肉食性恐龙，使它们误认为阿马加龙个头很大，不适合捕杀，以便减少自己被猎杀的机会。

不过，在蜥脚类恐龙中，有比阿马加龙大很多的恐龙。大家知道，动物的躯体越大，积存在体内的热量就越难散发，因此，越是巨大的动物，体内的热量就越充沛。但在巨大的蜥脚类生物身上，却没有发现“帆”的痕迹。因此，有的古生物学家认为，属于小型蜥脚类的阿马加龙并无拥有起调节体温作用的“帆”的必然性。那么这张长在背后的“帆”究竟是干什么用的呢？古生物学家们推测，这有可能是区别同伴与其他种族的标记，也有可能是雌雄差别的标记。

让人困惑的伤齿龙

如果约6500万年前没有发生那场导致恐龙灭绝的大灾难，有一种恐龙就完全有可能进化成代替人类的一种动物——“恐人”，从而成为地球的主宰。这可不是什么科幻小说中的情节，而是加拿大古生物学家戴尔·罗素的推测。

最聪明的恐龙

伤齿龙是种小型恐龙，身长约2米，高度约为1米，重达60千克。伤齿龙拥有非常修长的四肢，显示它们可以快速奔跑。伤齿龙拥有长手臂，可以像鸟类的翅膀一样往后折起，而手部拥有灵活的拇指。它们的第二脚趾上拥有大型、可缩回的镰刀状趾爪，在奔跑时，这些趾爪可能会抬起。伤齿龙拥有大大的眼睛，显示它们可能以夜间行动的哺乳动物为食。伤齿龙的眼睛比其他大部分恐龙还要朝向前方，所以它们可能有比其他恐龙更好的深度知觉。伤齿龙是恐龙王国中最聪明的恐龙之一，按脑容量与体形的比例来说，它们具有恐龙中最大的脑袋。这可能代表着伤齿龙是白垩纪晚期恐龙中最聪明的一种。有些科学家甚至认为

它们可能和鸵鸟智商相近，如果真是这样，那就表示伤齿龙比现在的任何爬行动物都要聪明！

分类之谜

伤齿龙的化石被发现后，曾经一度给古生物学家们造成非常大的困惑。伤齿龙最先被发现的是牙齿化石，起初很多古生物学家认为它们是鸟臀目中唯一的肉食性恐龙，后来经过一系列的研究和推测，又将它们划归到蜥臀目恐龙。还有些古生物学家认为它们是恐爪类恐龙。

关于吃什么的问题

有关伤齿龙的谜团不仅仅局限在分类上，对于其食性，古生物学家们也莫衷一是。

伤齿龙起初被认为是一种掠食性动物，主要以小型动物为食。这个论点是根据伤齿龙脚部有镰刀状趾爪，利于奔跑掠食而得出的。然而，有些证据显示伤齿龙可能是杂食性动物或植食性动物。因为它们的颌部宽广，牙齿呈叶状，有大型锯齿状边缘，如同植食性恐龙，而且牙齿短而宽广，侧边有磨损面。不过，这些证据还显得很薄弱，无法确定伤齿龙的食性。

肿头龙为什么喜欢撞头

武术中有一种叫“铁头功”的武艺，练就这门功夫，头就会坚硬无比，甚至能撞碎石头，撞凹铁板。其实这门功夫可不是人类首创的，早在白垩纪时期，就有一种恐龙练就了“铁头功”，它们就是肿头龙。

会“铁头功”的恐龙

肿头龙的外形和一般用后肢行走的中小型植食性恐龙相似，但它们头部的构造很特别，头盖骨异常肿厚，头颅极其坚硬，并扩大成一个突出的圆顶，光滑圆润。

由于肿头龙在恐龙家族中只能算是中小型恐龙，所以古生物学家们推测，为了保护自己，肿头龙很可能过着群居生活。成年的雄性肿头龙之间

可能会像现在的山羊一样，通过撞头来决定谁是族群的首领。因为肿头龙的头顶很圆，碰撞时接触的部位很小，容易发生扭伤脖子，甚至撞碎脑袋之类的危险，所以打架时，两只肿头龙有可能不会进行激烈碰撞，而是把头抵在一起，像牛羊一样比较力气，谁的力气大谁就获胜。真是一场绅士间的较量啊！

令人困惑的撞击行为

看到这里你可能会想，如果肿头龙遇到其他肉食性恐龙袭击时，会不会像非洲大草原上的野牛一样用尽全力奔跑，再一头撞过去呢？对此，部分古生物学家认为肿头龙的头骨虽然坚硬结实，但不能用来抵抗肉食性恐龙的袭击，所以只能拼命奔跑。也有些古生物学家认为肿头龙遇到敌人时会毫不畏惧地用头去抗击敌人，尽管肿头龙的头骨很脆弱，但是肉食恐龙如果被不断地撞击，甚至有被撞死的可能。

事实究竟是不是这样，目前还不能确定，只能等古生物学家们发现新的证据才能判定。

食性之谜

到目前为止，古生物学家还不清楚肿头龙的食性。它们的牙齿非常小，齿冠呈树叶状，这种独特的牙齿使它们不能像同时代其他恐龙般，有效地嚼烂磨碎坚硬的、由纤维构成的植物。所以古生物学家们推测肿头龙以树叶、种子、水果、昆虫等为食，它们锐利、锯齿状的牙齿可以非常有效率地切割食物。

食肉牛龙的角有什么用

在千奇百怪的恐龙中，头上生角可不是什么奇特的长相。三角龙头上的角像尖利的长矛一样，可以轻易刺穿袭击者的身体；爱氏角龙头上的角形成一个巨大的颈盾，配上花纹非常好看；尖角龙鼻子上有一根类似于犀牛的鼻角。上面介绍的这些都是植食性恐龙，而我们接下来要介绍的是一个专门吃肉的家伙——食肉牛龙。

迅猛的猎杀者

食肉牛龙是一种大型的肉食性恐龙，其凶猛程度甚至比暴龙都不逊色。它们的身体有3辆小轿车那么长，头部巨大而有力，牙齿像剔肉刀一样锋利。它们的前肢很短小，但两条后腿非常强壮有力。它们可以迅速扑向猎物，在猎物还没反应过来时将猎物抓获。

有研究指出食肉牛龙的行动速度非常快，堪称肉食性恐龙中的“猎豹”，是人们目前已知的奔跑速度最快的食肉恐龙，速度可达每小时60千米。

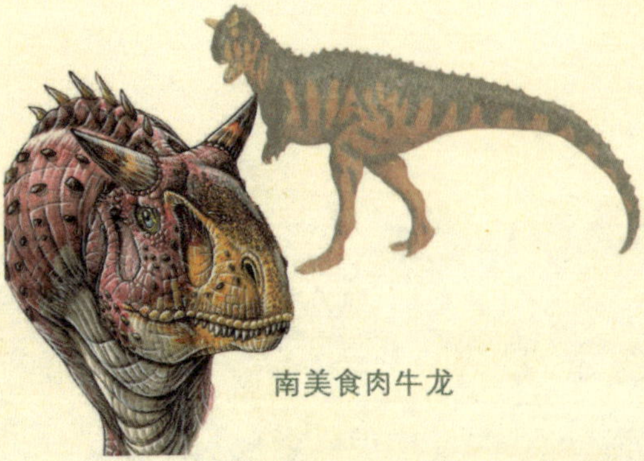

南美食肉牛龙

长着公牛角的恐龙

我们在前面已经列举了一些知名的有角恐龙。古生物学家们在对食肉牛龙进行研究时发现，它们和那些已知的有角类恐龙不太一样。如果你熟悉恐龙家族，会发现许多兽脚类恐龙的头部具有骨质冠饰，有些是纵向的冠饰，例如合踝龙、双脊龙与冰脊龙；有些则是鼻部的角状物或隆起，例如原角鼻龙与角鼻龙。而食肉牛龙的两个角不位于鼻部，而是位于额头上，而且比较短，并行排列，有点儿像公牛的角。所以食肉牛龙不可能像三角龙那样把角当成武器，那么这么小巧的角是用来干什么的呢？有的古生物学家认为食肉牛龙的角可承受巨大的冲击，例如高速追捕猎物时的冲击。另一种说法则是，食肉牛龙的角可能适合用在水平方向的碰撞，而这些碰撞来自因争夺领域、配偶、领导权而发生的物种内打斗行为。

不过，关于这些角的真正用途，需要等将来才能知晓。

皮萨诺龙的尾巴与身体等长吗

皮萨诺龙又叫比辛奴龙或皮萨龙，它们生活在三叠纪晚期，活动区域大概在今天的南美洲地区，属于植食性鸟臀目恐龙。

尾长之谜

皮萨诺龙是一种小型恐龙，体长约1米，身高约30厘米，体重一般不超过10千克，脖子较短，长有四肢，但前肢明显短于后肢，而且没有后肢发达。某些古生物学家参考其他早期鸟臀目恐龙，将皮萨

诺龙设定为尾巴与身体等长；有些古生物学家则认为，皮萨诺龙尾巴与身体等长只是一种臆测。由于目前尚没有发现皮萨诺龙的尾巴化石，无法判定上述两种观点孰是孰非。皮萨诺龙的尾巴是否与身体等长，需要更多的化石出土和研究才能进一步论证。

食性

皮萨诺龙是已知最原始的鸟臀目恐龙，它们是植食性恐龙，主要食物是蕨类和低矮树木的树叶等。

由于发现的化石并不完整，所以，目前人们对皮萨诺龙的认识十分有限，有待进一步研究考证。

莱索托龙夏眠吗

莱索托龙生活在侏罗纪早期，属鸟臀目恐龙，是目前已知的最早的恐龙种类之一。它们身体矫健，是长跑健将。

外形

莱索托龙生存于侏罗纪早期热而潮湿的非洲与美洲的半沙漠地区。它们头很小，脖子纤细，身躯很长，肚子很大，尾巴细长。小巧玲珑的莱索托龙从正面看，简直就是一只用后肢行走的特大号蜥蜴。它们的嘴呈鸟嘴状，且非常坚硬，嘴边有角质的覆盖物，这层覆盖物的作用是把植物快速地剪切下来，之后再用嘴里形状不一的牙齿对入口的食物进行处理。颌骨两边箭头一样的牙齿很适合咬住食物。

莱索托龙的后肢比前肢长许多，前肢相当短小，有5根手指，第五指很细。脚部与胫部的长度相当，显示出莱索托龙是快速、灵活的奔跑者。股骨有独特的股骨头，这种股骨头并未在其他恐龙身上发现。

化石发现

莱索托龙在1978年被命名，它们的化石发掘地在非洲的莱索托。莱索托龙起初被认为是鸟脚下目动物。然而，研究显示它们可能代表目前已知的最原始的鸟臀目恐龙。

莱索托龙虽然个头小，但是身体结构上表现出的良好平衡性保证了它们具有动作敏捷的特点，因而它们依然能够在资源有限而又危机潜伏的环境里很好地适应、生活。

莱索托龙具有很高的警觉性，即使在进食时也保持着高度警觉的状态，不时地抬头四处张望，以防肉食性恐龙的袭击。

夏眠之谜

有的古生物学家认为，莱索托龙是需要夏眠的恐龙。古生物学家曾在南非一个洞穴中，发现两只莱索托龙挤在一起，他们由此认为，莱索托龙可能有夏眠的行为。但是，有的古生物学家则不认同这一观点，他们认为单凭这一化石就认定莱索托龙需要夏眠有些武断。目前没有任何环境测定和同类物种可以证明，莱索托龙有夏眠的行为。

安琪龙的“天使”称号名副其实吗

安琪龙又名近蜥龙，是一种原蜥脚类植食性恐龙，它们生活在侏罗纪早期，其化石主要是在美国东部、非洲南部，以及中国西南部的一些地区被发现的。

小巧玲珑的外形

安琪龙的外形小巧修长，它们的脑袋较小，形状近似于三角形，上面长着细长的鼻子。安琪龙还长着长长的脖子，其身体瘦长，尾巴也很长。与其他的原蜥脚类恐龙相比，安琪龙的身体轻巧，看起来纤巧瘦弱。

天使还是魔鬼

这样小巧玲珑的安琪龙性情如何呢？古生物学家们对此各执一词，莫衷一是。

有的古生物学家认为，安琪龙的“天使”称号实属无稽之谈。安琪龙的前肢短后肢长，后肢的长度大概是前肢的3倍，在两个前肢的大拇指上长着大而弯的爪子，可能是用于钩住长满叶子的树枝，将树叶往自己嘴里塞的。在受到敌人的攻击时，大而弯的爪子也可能被用作武器去抽打和击伤敌人。所以，这些“天使”其实并不是看上去那么好欺负的。安琪龙被称作“天使”，实在名不副实！

恐龙ID卡

名称：安琪龙
身长：1.7～2米
食性：植食性
生活时期：侏罗纪早期
化石发现地点：美国东部、非洲南部、中国西南部

有的古生物学家则认为，安琪龙的性格像外表一样温顺。安琪龙是一种植食性恐龙，它们的嘴巴又尖又长，可是里面的牙齿却很细小，而且一点儿也不锋利，这些牙齿带有锯齿边，适合取食树叶等食物。安琪龙大部分时间都采取四足行走的方式移动身躯，但有时为了获取高处树枝上的叶子，它们也会靠后肢站立起来。那悠闲信步的样子非常优雅，真的宛如天使一般纯洁美丽、与世无争。

以上两种说法究竟孰是孰非，目前还没有定论。安琪龙是魔鬼还是天使，就要等古生物学家们进一步研究后才能判定了。

说不尽的巨椎龙

巨椎龙又名大椎龙，它们生活在侏罗纪早期。与其他种类的恐龙相比，巨椎龙的典型特征是前肢上长着巨大的“手”。这双“手”有什么功用呢？

外形

巨椎龙体长4～6米。整个身体由9节长颈椎、13节背椎、3节荐椎，以及至少40节尾椎组成，巨大的脊椎极其惹人注目，它们也因此有了这个名称。它们块头极大，但是一点儿也不笨拙。它们是植食性恐龙，为了能够吃到大树顶上的树叶，它们常常依靠两条后肢直立起来，灵活地摆动颈部和头部，将嫩叶卷入嘴里。

灵活的“手”

巨椎龙前肢上的“手”很有特点，不仅大，而且在拇指上还长着弯曲尖利的爪。它们常常灵活自如地运用这双“手”来获得自己所喜欢的食物。

另类的消化方式

巨椎龙进食的时候常常故意将一些小而圆的卵石吞入胃中。原来，巨椎龙的牙齿很小，可以将树叶咬下来，但咀嚼功能不强，不足以嚼碎食物。而这些被吞入胃中的卵石可以将树叶碾磨成浓而黏稠的汁液，充当碾磨器。有了它们，巨椎龙就能够吸收身体所需的营养了。这可真算是另类的消化方式了。

未知的谜团

和所有恐龙一样，巨椎龙身上笼罩着许多未知的谜团，例如：巨椎龙的外表是什么颜色，巨椎龙的行为方式是什么，巨椎龙的生理机能如何，等等。

有的古生物学家认为巨椎龙是灰色的。它们是群居动物，会将短前肢用在抵抗掠食动物的进攻、物种内打斗或协助进食上。但是有的古生物学家认为巨椎龙是蓝色的。它们是独居动物，前肢太短，无法碰到嘴部，会使用拇指指爪来打斗，或是折下树上的食物。

巨椎龙身上的谜团越多，越能激发古生物学家们的研究兴趣。关于巨椎龙的研究正在如火如荼地开展，相信在未来的某一天，古生物学家们会为我们揭开这些谜团。

气龙究竟有多少“武器”

气龙没有阿根廷龙或雷龙那样庞大的身躯，它们体长3～4米，体重约750千克，是一类中等大小的肉食性恐龙，也是已知的最古老的坚尾龙类之一。

奇妙的渊源

1985年，在一个风和日丽的早晨，一支开采天然气的工程队正在四川盆地进行考察。仪器插入土层之后，工程队队员感觉它似乎触到了硬物。工程队队员立即将这一情况向该地区政府反映。考古专家立即赶来，小心翼翼地挖开泥土，一具保存完整的恐龙骨架化石展现在人们面前。为了纪念这具恐龙骨架化石与天然气工程队的奇妙渊源，古生物学家将这种恐龙命名为“气龙”。

习性和特征

气龙生活在侏罗纪中期，长约3.5米，高可达2米，属于中等体形的肉食性恐龙，是一种活跃敏捷的掠食者，它们的牙齿尖锐，边缘呈锯齿状，能撕裂生肉。强而有力的前肢上有强劲的爪子，用来抓持小型猎物或者大型动物坚韧的外皮。这种特征和在其他地区发现的侏罗纪时期的巨龙类非常相近。

气龙的主要特点是头大而轻，牙齿尖锐，呈匕首状，脖颈短，尾巴长，前肢短小灵活，后肢强壮有力，趾端长有尖锐的利爪，善于用两足快速奔跑捕食其他动物，让猎物闻风丧胆。中国科学院古脊椎动物研究所收藏着一副气龙的不完整骨架标本，是研究气龙的重要资料。

“武器”颇多

气龙捕猎时所用的“武器”真是多极了！它们有锯齿状的尖锐牙齿，能轻而易举地咬穿并撕裂猎物的身体；它们有强劲的爪子，可以轻易地抓住小型猎物或大型猎物的外皮；它们有硕大而坚硬的头颅，这夸张的脑袋不仅能起到威吓作用，甚至能够撞伤猎物；它们还有一条长长的尾巴，危急之时能将其当作鞭子猛力抽打猎物。它们有如此多的“武器”，还愁捉不到猎物吗？

气龙究竟有多少种武器，古生物学家们对此持不同观点。

蜀龙有什么“绝活儿”

蜀龙是生活在侏罗纪中期的蜥脚类恐龙，它们的生活区域在今四川盆地。因为四川省的简称为“蜀”，所以古生物学家将这种恐龙命名为“蜀龙”。

生存环境

侏罗纪中期的四川盆地河川密布，广阔无垠的土地上长满了各类植物。由于环境适宜，植物的生长速度惊人，这为植食性恐龙提供了源源不断的食物，即使恐龙食量再大、数量再多，也不必担心植物会被吃光。对于植食性恐龙蜀龙来说，这里简直就是天堂。因此它们大部分就长久地居住于此，繁衍生息，几代都没有离开。

沉稳的个性

蜀龙身体笨重，行动十分缓慢，从来不疾走，更不会奔跑，它们总是慢悠悠地走。即使遇到了危险，它们也改不了这慢吞吞的性子，逃跑得极为笨拙。

蜀龙喜群居，通常都和鲸龙一起成群出现。蜀龙的牙齿只适合吃些柔软的植物，所以主要生活在河畔湖滨地带，以柔嫩多汁的植物或低矮树上的嫩枝嫩叶为食。

厉害的“武器”

在大型肉食性恐龙横行的时代，蜀龙似乎身无长物，没有锋利的进攻、抵御武器，它们是如何在恶劣的环境下得以生存和繁衍的呢？

恐龙ID卡

名称：蜀龙

身长：约12米

食性：植食性

生活时期：侏罗纪中期

化石发现地点：中国四川

有的古生物学家认为，蜀龙一点儿也不好欺负。它们深藏不露，拥有着一件无比厉害的“武器”，那就是它们极具特点的长尾巴。与其他恐龙的尾巴不同，蜀龙的长尾巴末端长着一个由几节膨大且闭合的尾椎骨所组成的骨质尾锤，这尾锤呈椭圆状，有橄榄球大小，乍一看，酷似武侠剧中的“流星锤”。这尾锤如果挥舞起来，无论打到哪位，估计都得受重伤！

还有的古生物学家则认为蜀龙的“绝活儿”并非尾巴，而是爪子。蜀龙的前三趾端都具有爪构造，锋利无比，能够吓退觊觎自己的掠食性动物。蜀龙究竟有什么“绝活儿”，究竟有多少“绝活儿”，目前尚没有定论。

单脊龙的“头饰”之谜

单脊龙生活在侏罗纪中期，它们的化石是在中国新疆维吾尔自治区准噶尔盆地的将军庙附近被发现的，所以它们也叫将军庙单脊龙。

神奇的头饰

单脊龙属于个头中等的兽脚类恐龙。它们之所以被称为“单脊龙”，是因为它们的头顶上有一个由鼻骨和泪骨在头骨中线处形成的脊突状的特殊“头饰”，这使得它们的头部比例比较大。因为单脊龙有这个头饰，所以人们很容易把它们与其他的肉食性恐龙区别开来。

如此隆重的头脊有什么用呢？有的古生物学家认为头脊可以用来抵挡大型肉食性恐龙的攻击，有的古生物学家则认为头脊不具有这种能力，仅仅是用来装饰外形的无用

之物。因此，单脊龙的头饰有何作用，目前还没有定论。

喜欢水的恐龙

单脊龙体长5米，体重450千克，身高1.7米，体形适中。主要特征是头颅骨长而细，嘴巴很窄，顶上具有发育良好高耸的中棘，身体瘦弱。古生物学家研究发现，在发现单脊龙化石的几个地方都曾经有水，所以单脊龙可能很喜欢泡在水里，生活在湖岸或海岸。从它们生存时期的生态环境和它们的身体结构分析，单脊龙是一种以鱼类和小型恐龙为主要猎食对象，并且以腐肉为食的恐龙，因为它们的骨骼构造和身体结构不坚实，很难捕食大、中型植食性恐龙，而它们轻盈而灵活的头、颈部和整齐的牙齿，更适合捕食灵活的鱼类和小型恐龙。在侏罗纪中期的恐龙食物链里，单脊龙处于食物链中的次等掠食者的位置，这意味着它们可能会成为中华盗龙的食物。

沱江龙为何状如拱桥

沱江龙属于剑龙科恐龙，生活在侏罗纪晚期，它们与同时代生活在北美洲的剑龙有着极密切的亲缘关系，是早期的剑龙之一。

状如拱桥的外形

沱江龙体长7米左右，与其他剑龙类恐龙一样，它们有着小小的脑袋、长而尖的嘴、纤细的牙齿，背部高高拱起，长着细长骨刺的尾巴拖在地上，尾巴末端都长有向外突起的四根细长的圆锥形骨钉。

沱江龙的整个外形看起来就像中国古代的拱桥，这也正是它们得名的原因。

至于沱江龙为何要长成这样，有的古生物学家认为拱桥状的身躯有利于藏匿伪装。沱江龙生活在茂密的森林中，拱桥状的身躯可高可矮，利于它们藏匿自己；有的古生物学家则认为沱江龙长成拱桥状，能缓冲强风攻势，维持躯体的稳固。究竟哪种说法正确，恐怕只有沱江龙自己知道了。

尖利的骨板

沱江龙属于植食性恐龙，性情比较温和。沱江龙的骨板较大，且形状多样，从脖子、背脊到尾部，生长着15对骨板，比剑龙的骨板还要尖利。并且，从颈部到骶部，骨板逐渐增高、增大、加厚，最大的一对长在骶部。这些骨板在沱江龙背面中线的两侧对称排列，其功用是防御来犯之敌。在短而强健的尾巴末端，还有两对向上扬起的骨刺。这些成对的骨刺显然也是所有剑龙科恐龙御敌的主要武器。

沱江龙体形较大，行动缓慢，且不太聪明，当有掠食动物靠近的时候，沱江龙就弓起身子，用它们带有骨刺的尾巴扫向敌人，使之无法靠近。

欧罗巴龙为什么把自己进化成侏儒

欧罗巴龙是一种四足植食性恐龙。它们生活在侏罗纪晚期的德国北部下萨克森盆地。

“迷你恐龙”

成年的欧罗巴龙体长最多只有6.2米，与著名的蜥脚类巨兽——体长可达27米的梁龙相比，它们无疑是蜥脚类恐龙群里的侏儒，是名副其实的“迷你恐龙”。欧罗巴龙化石的发现打破了人们对蜥脚类恐龙都是大型恐

龙的传统认识。

在大型化为流行趋势的恐龙世界，欧罗巴龙为什么要把自己进化得如此之小呢？

身形缩小以适应环境

有的古生物学家认为是食物的紧缺导致了欧罗巴龙不得不慢慢缩小体形，降低食物摄入量。欧罗巴龙生活的地区在1.5亿年前是一片巨大的海泛区，这里有无数的被分离的陆地、岛屿，这也让生活在这些陆地、岛屿上的动物被分离开来，过着老死不相往来的隔离生活。因为“交通”不便，隔离的小岛上又没有足够的食物供身形巨大的动物食用，久而久之欧罗巴龙身形就变得侏儒化了。欧罗巴龙正是以这种方式与环境相适应，从而顽强地生存下来的。

或因基因突变

有的古生物学家则认为，欧罗巴龙侏儒化是基因突变造成的。与其他蜥脚类恐龙的早熟性成长速率相反，欧罗巴龙的侏儒现象显示了从大型物种演化成小型物种的基因转变过程。

究竟以上两种说法哪种正确，目前还没有定论。

叉龙真的喜好和平吗

叉龙生活在侏罗纪晚期，其活动区域大致在今天的非洲地区，属于一种小型的梁龙超科蜥脚类恐龙。

外形特征

大部分的梁龙超科恐龙体形巨大，有着长颈和鞭状的长尾巴。但叉龙的体长大约只有12米，头部比较大，颈部较短，也较宽。叉龙的这些特征和其他的蜥脚类恐龙存在着很大的差别。

名称的由来

叉龙的颈椎背侧的神经棘呈Y形，很像叉子，这也是把它们命名为“叉

龙”的缘由。脊椎骨由韧带来连接，在背部形成了一个很明显的隆脊。

知识百科

大部分的梁龙超科恐龙拥有修长的脖子，鞭状的尾巴，形似马头的脑袋，钉状的牙齿，叉龙是唯一一科由长颈部演化为短颈部的恐龙。然而，叉龙为什么要舍弃更利于取食的长脖子，将脖子变短，目前仍是未解之谜。

和平共处的原因

有的古生物学家认为，叉龙生性温顺，喜好和平。因为叉龙的化石被发现于坦桑尼亚的敦达古鲁组，当地还曾发现同时期的长颈巨龙及钉状龙的化石。由此可见，叉龙与这些大型植食性恐龙生存于同一时期的同一环境下，相互之间和平共处，没有矛盾。

但是，有的古生物学家则认为不需竞争并不代表不喜欢竞争。叉龙虽然与这些恐龙共存于同一片区域，但是它们各自以不同高度的植物为食，所以彼此之间没有矛盾，能够和平共处。但是叉龙可能并非如我们想象中那般生性淡泊、与世无争，它们可能只是没有面临生存威胁、食物紧缺等现实状况，一旦遭遇生存危机，它们可能立刻撕破脸。叉龙究竟性情如何，还需要进一步的研究才能确认。

美颌龙身上长有羽毛吗

美颌龙也被称为细颚龙、细颈龙、新颚龙，是一种小型的肉食性兽脚类恐龙，它们生活在侏罗纪晚期，活动范围一般在如今的欧洲地区。

外形

美颌龙的头部尖细，鼻端呈锥形。它们大大的眼睛长在头颅骨上方，脖子很细，比较灵活，能够随意弯曲。美颌龙的前肢比后肢细小，后肢比前肢要长一些，踝部较高，有较长的尾巴，这显示它们非常敏捷。

美颌龙具有像鸟类一样细长的身体、狭窄的头，成年的美颌龙站起来也只不过到人的膝盖处，它们双足行走，看起来与现在的火鸡差不多大。

美颌龙的牙齿小而锋利，适合吃小型的脊椎动物及其他动物。除了前上颌骨的前段牙齿外，其他的牙齿都有锯齿边缘，且大幅弯曲。古生物学家们就是用这个特征来辨别美颌龙及其近亲的。

小岛上的猎食者

美颌龙多生活在温暖的沙漠或者岛屿上，它们的手掌长有3指，指端都有着利爪，是抓捕猎物时的有力武器。它们的牙齿小而锋利，加之吻部也是长而尖的，能够撕下小动物身上的肉，可以说是对付小型动物的有力武器。

身上长有羽毛吗

有的古生物学家认为，美颌龙与鸟类关系密切，其外形也与鸟类一样，覆盖有多彩多姿的羽毛；有的古生物学家则根据美颌龙科的侏罗猎龙的化石得出其只有尾巴及后肢长有鳞片，推出美颌龙身上没有任何羽毛的结论。然而，侏罗猎龙是否属于美颌龙科还有待商榷，所以也无法确认这个观点的真伪。由于目前并没有羽毛或像羽毛的东西与美颌龙化石一同被保存下来，所以上述哪种说法正确，即美颌龙到底是否长有羽毛，尚是未解之谜。

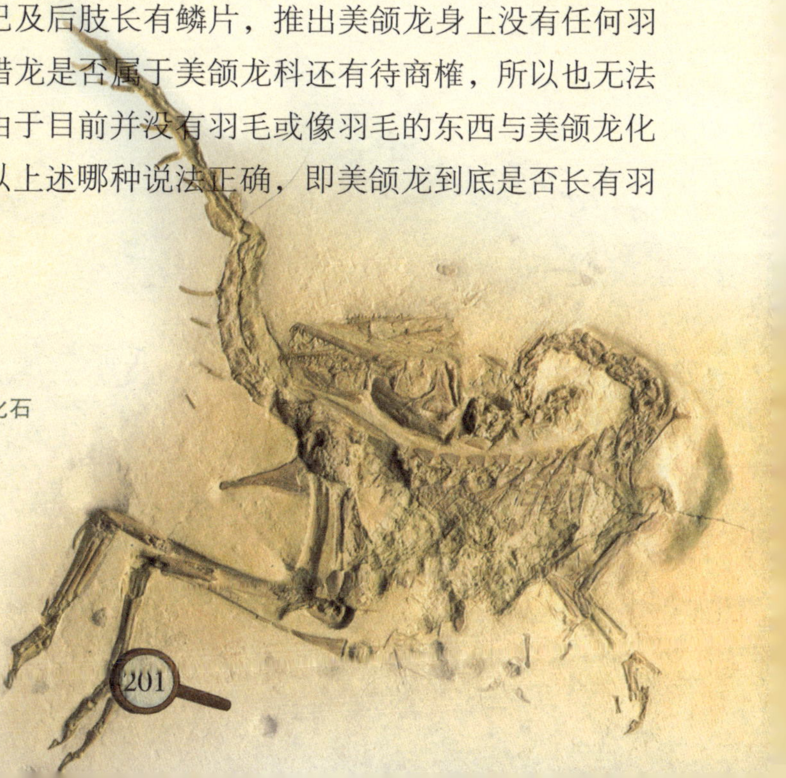

美颌龙化石

帝龙的羽毛是用来保温的吗

帝龙是一种小型的具有羽毛的暴龙超科恐龙，生活在白垩纪早期的中国东北地区。

命名缘由

古生物学家在辽宁北票义县组陆家屯发现了距今1亿多年的白垩纪早期的暴龙类骨骼化石，该属种被命名为“帝龙”。作为一种小型的、具有羽毛的暴龙超科恐龙，帝龙确实无愧于“帝王”这一称号，它们凶狠残暴、无往不利，具有舍我其谁的王者之气。

羽毛的作用

帝龙是最早、最原始的暴龙超科恐龙之一，且有着简易的原始羽毛，显示恐龙物种进化的一个阶段。羽毛痕迹可以在帝龙化石的下颌及尾巴等处看到。有的古生物学家推测它们的羽毛主要起着保温作用。然而有的古生物学家则不认同这一观点，他们认为帝龙的羽毛主要起助力作用，帮助它们在长途奔袭中获得更快的速度。这两种说法正确与否有待商榷。

发现意义

帝龙化石的发现，首先证明了暴龙类早期的祖先是小型恐龙。后来出现的暴龙，随着体形的增大和鳞片的长出，羽毛就逐渐消失了。其次，帝龙身上覆盖着羽毛的事实再一次证明了兽脚类恐龙和鸟类可能有着共同的祖先。

禽龙的大拇指之谜

禽龙是鸟脚类恐龙的一种，生活在白垩纪早期，是一种体形庞大的植食性恐龙。禽龙是继斑龙之后，世界上第二种被正式命名的恐龙。

外形特征

禽龙外形庞大，体长9～10米，高4～5米，体重和一头大象的体重差不多，尾部粗壮。禽龙有5指：3只中指、1只锥状的拇指和1只灵巧的小指。

值得提出的是，禽龙的后肢第二趾上有非常大、呈镰刀状的趾爪，在行走时第二趾可能会缩起，仅使用第三趾、第四趾行走，看上去就像竖起大拇指似的。

禽龙的大拇指有什么用呢？有的古生物学家认为禽龙的大拇指是进攻的武器，用来割伤猎物。但也有的古生物学家认为禽龙的大拇指

没有坚固到可以当作武器来使用，只是用来挖掘植物的根茎，摘捋种子的工具。禽龙的大拇指究竟有什么作用，目前尚无定论。

习性之谜

禽龙喜欢群居生活，一般以蕨类和苏铁等植物为食。找到食物后，它们会细嚼慢咽，因此不用吞食石子儿来帮助消化。

幼年禽龙的前肢比成年禽龙的要短小一些，它们大都用后肢行走。成年禽龙多四肢着地，行动要缓慢得多。

禽龙非常聪明。虽然平时成年禽龙多四肢着地，以便支撑身体的重量，行动比较缓慢，但是一旦被掠食动物追击，它们就会用两条腿跑起来，跑得很快，转眼就没了踪影，让那些凶恶的猎食者只好作罢，无可奈何。

豪勇龙的“风帆”之谜

豪勇龙又名无畏龙，生活在白垩纪早期，主要分布在今西非地区，它们体长7米左右，以蕨类植物的枝叶为食。

神奇的“帆”

豪勇龙身上有一条长长的“风帆”，从背部、臀部一直延伸到尾部。这条“风帆”是做什么用的呢？有的古生物学家认为它充当着豪勇龙的体温调控器的角色。白垩纪时期，西非地区的昼夜温差大，豪勇龙身上的“风帆”就帮助它们随着周围温度的变化而自由调控体温，使它们能保持稳定的体温。有的古生物学家则不这样认为。他们认为，豪勇龙的“风帆”可能是用来储藏脂肪或水的，以帮助它们度过干旱的时期。就像现今

的骆驼一样。也有的古生物学家认为“风帆”可能是为了起吓阻作用。“风帆”使得豪勇龙看起来比实际体形还大，威吓竞争对手或掠食者。

以上哪种说法确切，目前还不清楚，有待进一步查证。

神秘的突起

豪勇龙的鼻孔很大，位置非常高。而且，值得注意的是，鼻孔到眼眶之间的两侧，有个不规则的突起。这个突起的作用目前还不清楚。有的古生物学家认为突起可能有社交或求偶的功用。但是这种说法有待商榷。

防身暗器

豪勇龙的每个前肢上都有一个“长钉”，这两个“长钉”被古生物学家习惯性地称为“拇指钉”，这可是豪勇龙的防身暗器。“拇指钉”就像两把锐利的匕首，可以刺伤进攻它们的动物。

独特的行走方式

豪勇龙的行走方式与众不同，与现在的袋鼠一样，不仅可以用两足行走，有时还可以用四足行走，行走方式随心所欲。

鹦鹉嘴龙的鬃毛之谜

鹦鹉嘴龙是一种小型的植食性恐龙，因长有一张酷似鹦鹉的嘴而得名。

中看又中用的嘴

鹦鹉嘴龙是拥有最多种类的恐龙，其化石发现于中国、蒙古、俄罗斯，在泰国还发现一个可能种。

成年的鹦鹉嘴龙体长1米左右，最长可达2米，头部较短。鹦鹉嘴龙的所有种类都是二足、植食性恐龙。鹦鹉嘴龙最典型的特征，是与原角龙、三角龙等恐龙一样，都长有一张“鹦鹉嘴”，在形状和功能上与现代鹦鹉的喙相似，形状弯曲，而且很厚、很锐利，能够用力撕

鹦鹉嘴龙头骨

咬食物。

从已经出土的鹦鹉嘴龙化石标本的分布来看，鹦鹉嘴龙一般喜欢生活在有水的地方，比如低洼的湖边或河岸边，且以这些地方的植物为食，这些地方的植物柔嫩、多汁，满足了鹦鹉嘴龙的口舌之欲。

用胃石帮助消化

鹦鹉嘴龙并没有长有适合咀嚼或磨碎植物的牙齿，所以它们会吞食石子儿来协助磨碎胃中的食物。古生物学家经常会在鹦鹉嘴龙化石的腹部位置发现石子儿，数量有时多达50个。

费解的鬃毛之谜

古生物学家经过对一个出土于我国的鹦鹉嘴龙标本的测定，发现该标本的背部到尾巴有一排中空的管状刺毛，这些刺毛长度接近16厘米，并被保存下来。古生物学家由此推测，鹦鹉嘴龙的尾巴与背部有覆盖物。这些覆盖物究竟是什么呢？有的古生物学家认为这种覆盖物可能是鬃毛状的结构，类似鸟类的羽毛，次第排开；有的古生物学家则认为这种覆盖物大部分是鳞片，且杂乱无序，较大的鳞片以不规则样式排列，而较小的鳞片则排列于较大的鳞片之间。至于以上哪种说法正确，目前还没有定论。

潮汐龙的化石

潮汐龙如潮汐般高吗

在白垩纪早期的埃及，靠近古地中海南岸的红树林里，生活着一种巨大的植食性恐龙，它们就是潮汐龙。

化石发现

最早的潮汐龙的遗骸是一条尚未成年的潮汐龙留下的。但它的一块肱骨就有1.7米长，脖子和尾巴更长，和中间的身子加起来，总长为27～30米。另外，由化石推算出它的体重为75～80吨。

目前古生物学家对于潮汐龙所知甚少，但已能推测出潮汐龙是目前所发现的最大的恐龙之一。有的古生物学家认为，潮汐龙龙如其名，高度可与潮汐媲美；有的古生物学家则认为，潮汐龙只是相对其他恐龙略高些，没有夸张到如潮汐般高大威猛。由于到目前为止尚未有完整的潮汐龙化石出土，究竟它们是否如潮汐般高，尚无法确定，但它们必然如潮汐般势大力沉。

红树林中的栖息者

潮汐龙的头很小，腿也不够长，可以想象得出，它们的行动是很不灵便的。好在它们不吃肉，只吃植物。它们住的地方当时还不是沙漠，而是海滨。这里涨潮时是海洋，退潮时是陆地，一般的陆生植物都不能在此生长，但红树却喜欢这种地方。那时气候炎热，红树长得很快，足够潮汐龙在此休养生息。潮汐龙是第一种被证实生活在红树林生态环境里的恐龙。

无可奈何的克星

弱肉强食的时代，巨大的体形成为了最大的保护伞，为潮汐龙赢得了更大的生存空间。如同其他的泰坦巨龙类，潮汐龙身上可能拥有防御用的皮内成骨。这让潮汐龙拥有了天然的抵御和抗击能力，能够在虎视眈眈的小型掠食动物面前为自己赢得生存的权利，但是，潮汐龙并不是一直安全的，它们可能被大型掠食动物猎食，例如鲨齿龙。一旦被这些天敌围攻，潮汐龙便几乎无生还的可能。

阿根廷龙是无敌的吗

阿根廷龙生活在距今约1亿年的白垩纪中期，其活动的范围在今天的南美洲地区。它们属于蜥脚类恐龙，是一种大型的植食性恐龙。

最大的陆地恐龙之一

顾名思义，阿根廷龙是在阿根廷被发现的。据化石研究推测，阿根廷龙体长应在30米以上，体重要比其他的恐龙都重得多，有可能重达94吨，相当于20头大象的总重量。迄今为止，它们是人们发现的在地球上生活过的体形最巨大的陆地恐龙。

阿根廷龙是无敌的吗

很长一段时间内，人们都认为凭借如此巨大的身躯，阿根廷龙应该是没有天敌的。1955年，一具南方巨兽龙化石出土了，当时它的嘴中正咬着阿根廷龙的颈骨。据此推测，南方巨兽龙采用群体围攻的方式猎食阿根廷龙，应该有可能得手。

古生物学家们推测，其他恐龙（如马普龙、南方巨兽龙等）只有采用群体进攻的方式，并且去围攻一只年老或体弱的阿根廷龙，才有可能获胜。就个体战斗力而言，阿根廷龙是极富战斗力的。尤其是处于青壮年时期的阿根廷龙，应该是没有谁敢惹的。然而，这一说法却受到另一些古生物学家的否认，他们认为阿根廷龙除了身高之外，并无特长，显然不能在卧虎藏龙的白垩纪拔得头筹。看来，阿根廷龙究竟是否无敌，还需要进一步研究才有定论。

个子高是因为营养好

阿根廷龙如此庞大、如此强壮，这和当时的环境是密不可分的。在白垩纪中期，有很长一段时间气候十分稳定，天气温暖，很适合植物生长。因此，阿根廷龙的食物充足，它们也就能长得如此庞大。

似鸵龙的爪有先天残疾吗

似鸵龙龙如其名，外形与鸵鸟相像，是白垩纪时期的代表性恐龙之一，它们是由小型兽脚类肉食性恐龙进化而来的。

外形特征

似鸵龙臀部到地面的距离为2米左右，体长4米左右。整个身体结构轻盈，头部较长，眼睛很大，颈部纤细灵活，牙齿已经退化了，长了角质喙，四肢修长，前肢上有爪，后肢的小腿骨比大腿骨长，3根脚趾着地，长有一条长尾巴。以上外形特征与现在的鸵鸟相近，这也是似鸵龙的得名原因。

奔跑能手

似鸵龙大腿肌肉发达，善于奔跑。据推测，似鸵龙的奔跑速度高达每小时70千米，这样的速度使似鸵龙即使是在跑步健将频出的恐龙世界里也算得上是短跑能手了。

与鸵鸟不同的是，似鸵龙长着一条长长的尾巴，其长度达到3.5米，占了整个身体的一半还多。这条长尾巴不像它那可自由弯曲的脖子那样灵活。当似鸵龙飞跑的时候，它就把它的尾巴僵直地伸在后面；如果它

要越过一段崎岖不平的坡地，那么它的尾巴会起到保持平衡的作用。似鸵龙的脚上长着平直的、狭窄的爪子。这些爪子把在地上就好像跑鞋上的钉子，可防止全速追赶猎物时脚下打滑。

独特的生活习性

似鸵龙性格孤僻，不喜热闹，喜欢过小群体生活，常常成群结队地在低洼的平原上奔跑，因为眼睛比较大，所以似鸵龙视野十分开阔，不用担心遭受猎食动物的突然袭击。

别看似鸵龙的牙齿已经退化，那长长的像鸟喙一样的嘴可是很尖利的。似鸵龙是不挑食的食客，喜欢享用各种各样的美食，而且荤素皆宜，小型哺乳动物、两栖动物、浆果、坚果等都是它们口中的美餐。似鸵龙还会用嘴巴把果实的硬壳剥开。在恐龙世界里，像似鸵龙这样不挑食的杂食恐龙还真是不多见哪！

古生物学家认为，似鸵龙的爪子可能存在先天残疾，它们的第二指与第三指长度一样，两者之间可能由皮肤连接，形成单一的器官，这就表明它们可能无法独自运作。然而这一观点有待商榷，需要进一步研究才能判定其真伪。

包头龙的头盔有什么用

包头龙身披盔甲，形如坦克，是生活在白垩纪晚期的一种植食性恐龙。包头龙是甲龙科里体形巨大的恐龙之一，也是所有带甲的恐龙中最著名的成员。

坚硬的骨甲

包头龙体形不大，但很重。它们体长6～7米，体重约有3吨，四肢比较短小，长有蹄状的爪子。除腹部外，包头龙的整个身体都被交错的、扁形的甲板覆盖着，就像是装上了装甲带的坦克。除了身体以外，它们的整个头部也被甲片包裹着。这些骨质甲片包裹住了整个脑袋，甚至连眼睑上都有，它们的名字就是根据这个特点取的。包头龙包覆着铠甲的整个躯体就像铜墙铁壁一样，刀枪不入。这些甲片有什么用呢？有的古生物学家认为它们是防御进攻的武器，还有的古生物学家认为它们可以用来抵抗恶劣的严寒天气。然而，研究表明，这些肉质甲片似乎不太适合御寒，“御寒说”似乎不足为信。包头龙长有坚硬的尾巴，尾巴尖上还有沉重的大骨锤，是击打敌人的有力武器。在遇到肉食性恐龙的袭击时，它们会挥动沉重的尾巴进行防卫。这样一来，头盔做武器之用似乎也略显多余了。这些像头盔一样的甲片究竟是做什么用的呢？古生物学家一直百思不得其解。

生活习性

包头龙是植食性恐龙，它们有水桶般粗笨的身躯，里面装着十分复杂的胃和长而回旋的肠子，用来慢慢消化食物。

包头龙不喜群居，过着孤独的生活。它们虽然全副武装，但仍然可以轻巧地快速前进。

盔龙为什么没有门牙

盔龙的头部长有一个中空的头冠，就像戴了个头盔一样，所以人们称其为盔龙或冠龙。盔龙经常活跃在针叶林和灌木丛中，是一种植食性恐龙。

令人费解的牙齿

盔龙的表皮长得凹凸不平，牙齿算不上锋利，嘴的前部甚至没长什么牙齿。尽管没有门牙，但是盔龙的嘴后部却长有上百颗牙齿。这种奇怪的牙齿构造让古生物学家们困惑不解。有的古生物学家认为盔龙的饮食结构决定了它们不需要长门牙，它们的后槽牙完全可以帮助它们在进食时将植物嚼

碎，使其能够更好地吸收植物中的营养。门牙就成了无用之物，在进化过程中慢慢退化了。但是这种说法似乎不足为信，因为许多和盔龙饮食结构相似的恐龙都长着门牙，为何唯独盔龙没长呢？为此，古生物学家仍在进一步研究中。

各式各样的“技能”

性别和年龄不同的盔龙，其头上的冠也各不相同。一般来说，年轻的和雌性的盔龙头冠较小，年幼的盔龙则几乎没有头冠，只在眼睛上方有一个小小的突起。成年雄性的盔龙头冠相对较大。这种独特的头冠是自卫的有力武器，盔龙常用头冠来展示自己或吓唬敌人。

盔龙的双颊上长有和青蛙类似的皮囊，这皮囊能够鼓起来，在鼓起的同时还会发出声音。盔龙能够利用皮囊鼓起的不同程度来调节声音，从而发出警告，引起注意，吸引异性等。

盔龙很可能会游泳，但游起来的速度肯定很慢。其笨拙沉重的身体让它们很难机敏地逃脱敌手的捕杀。然而，它们可以跳入湖中，缓慢地滑向其他地方，以智取胜。

棘龙的“风帆”之谜

棘龙生活在白垩纪中期，是一种非洲特有的恐龙。它们是体形巨大、长相怪异的肉食性恐龙。

怪异的长相

棘龙体长12～19米，体重4～18吨。它们长相怪异，除了背上的鳍状凸起，还生就一副吓人的“嘴脸”：牙齿密密麻麻，每一颗都呈圆锥状，与鳄鱼的类似；长有一个大大的头，这说明它们的智商应该比较高；前肢比后肢要短一些，能够用四条腿走路，但是奔跑时只用两条后腿。

“风帆”之谜

棘龙的背上长有许多凸起的骨头，上面覆盖着厚厚的表皮，看起来就像小船上扬着的帆一样，但是这张“风帆”是不能被折叠或者收拢的。这张“风帆”由一连串长长的脊柱支撑，每根脊柱

刚出生的棘龙

都是从脊骨上直挺挺地长出来的。这是棘龙区别于其他恐龙的最大特征。

棘龙的背部有一排明显的长棘，这排长棘是由脊椎骨的神经棘延长而成的，长棘之间可能有皮肤联结着，由肌肉覆盖着，形成一个巨大的“风帆”。

然而，这个“风帆”有什么功用，古生物学家却众说纷纭，莫衷一是。其中较可信的功能包括调节体温、储存脂肪能量、散发热量、吸引异性、威胁对手、吸引猎物等。值得一提的是，如果这个“风帆”具有吸引异性的功能，那么它有可能像孔雀的尾巴一样，是五彩斑斓的。当然，这只是古生物学家的一种猜测。

半水生动物

棘龙是一种半水生的肉食性动物，它们不但食用陆生动物，还会猎食鱼类。这一特性在肉食性恐龙中是十分罕见的，这让棘龙在一定程度上减少了与其他恐龙在地盘与食源方面的竞争，为自己争取到了更大的生存空间和更多的生存机会。

副栉龙的头冠之谜

副栉龙生活在白垩纪晚期，它们具有突出的颅骨和向后弯曲的冠饰，是鸭嘴龙类恐龙的典型代表。

众说纷纭的头冠之谜

副栉龙是一种鸟脚类恐龙，它最显著的特征是其头上延伸出来的头冠，这个头冠呈棒状，比其他有头冠的恐龙的头冠要长。

副栉龙的冠饰有什么用，目前古生物学家们的意见并不统一。有的古生物学家认为，副栉龙的冠饰具有辨别物种和区分性别的功能，就像公鸡的鸡冠一样；有的古生物学家则认为冠饰是副栉龙族群之间沟通信息的工具，就像扬声器一样，让声音传播得更远，令族群之间的交流更

顺畅，也可以用来报警或求救；还有的古生物学家认为冠饰有调节体温之用。大家莫衷一是，谁也不能说服谁。副栉龙的头冠之谜，还需要进一步研究才能被解开。

生活习性和御敌本领

副栉龙身体健硕，腿部稳固，前肢十分健壮，既可以在行走的时候用来支撑身体，又可以用来游泳和涉水。它们以植物为食，在进食的过程中，副栉龙会利用非常敏锐的感觉保持很高的警惕性，一旦发现敌害靠近，它们就会迅速地逃离。

副栉龙灰暗的皮肤也是躲避肉食性恐龙袭击的有效工具。当它们置身于暗夜或丛林中，就像变色龙一样，身体颜色与周围环境融为一体，很难被掠食者发现。

慈母龙：模范妈妈如何御敌

慈母龙的英文名的意思为“好妈妈蜥蜴”，它们生活在白垩纪晚期，是典型的鸭嘴龙类恐龙。

慈母般的外形

慈母龙最典型的外部特征是它们拥有憨憨的体形。它们体形较大，有一个形似马头的长脑袋，在眼睛的上方长着一个小小的装饰性的实心骨质头冠，嘴巴和鸭子的嘴巴很像，都比较宽。它们的喙里没有牙，但是喙的两边有牙。它们的前肢较细，前肢短于后肢，所以在四足着地时，臀部就显得比较高了。慈母龙是植食性恐龙，它们集体生活在森林里，以各种植物的果实和种子为食。这些特征让慈母龙看起来很善良，也十分符合它们的慈母形象。

如何御敌

与生性凶悍的肉食性恐龙和体形巨大的植食性恐龙相比，慈母龙没有什么优势，欠缺生存本领的它们是如何在恶劣的环境中得以存活并繁衍生息的呢？关于这个问题，古生物学家们一直迷惑不解。

有的古生物学家认为，慈母龙是靠奔跑来躲避敌人追捕的。慈母龙平时习惯用四条腿走路，但是跑起来的时候就会用两条腿，因为这样可以提高其行进速度，为自己赢取生机。有的古生物学家则不认同这一观点，他们认为慈母龙的奔跑速度与肉食性恐龙相比，根本不占优势。慈母龙只能依靠自身强壮的尾巴，以及集体行动来御敌。毕竟，慈母龙群体非常庞大，可能由万余个个体组成，显然在数量上有绝对优势。然而，这两种观点都只是古生物学家的推测，目前还没有定论。

名副其实的慈母

慈母龙把蛋产下来以后，就会守在窝的旁边严加看守，以防蛋被其他的恐龙偷走，有时候还会趴在上面以保持蛋的温度。这种不分昼夜、不辞辛苦的母爱在整个恐龙世界里都非常罕见。

生育完子女还不是结束。慈母龙还要把孵化出来的小慈母龙在集中保护很长一段时间，才让它们离开。鉴于这种对孩子无微不至的关怀和付出，慈母龙确实无愧于“慈母”的称号。

原角龙的颈盾之谜

原角龙生活在白垩纪晚期，其化石被发现于亚洲地区，属于角龙科恐龙中比较原始的一类。

独特的外形特征

原角龙的脑袋中等大小，智商较高。它们的个头较小，体长2～3米，但是它们的身体很结实，体形与现在的绵羊相似。它们一般靠四足行走，四足短小有力，趾端长有蹄状爪，十分适合在陆地上生活。它们的尾巴较长，几乎占了身体的一半。它们的嘴里两侧长着牙。

保护性命的头盾

原角龙的名字里虽然有“角”字，但其实它们不像晚期的角龙类恐龙那样进化得尽善尽美。

原角龙缺乏发展良好的角状物，还拥有着一些原始特征。它们的头上没有进化出角，只是在鼻骨的上面长了一个小小的突起，而且在颈部形成了一个颈盾。

有的古生物学家认为，这个颈盾的存在对它们而言意义重大，甚至可以说是关乎性命安危的重要器官。颈盾可以保护原角龙，让它们在受到肉食性恐龙的攻击时，避免遭到被咬断脖子的致命一击，给予自己更多的反击机会，也就等于是在为自己争取存活的机会。

但是，有的古生物学家则认为，颈盾只用来展示和求偶，并不是抵御强敌的武器。颈盾主要由骨质和肌肉组成，以这样的血肉之躯与爪牙尖利的掠食者正面相拼，显然是不理智的。以上观点孰是孰非，还有待于更多的化石出土和进一步科学研究才能确认。

饱受争议的习性

古生物学家们曾发现过一个原角龙的墓地，里面有从幼年到成年的许多原角龙骨架化石，这说明原角龙可能是一种以家族为单位生活的动物。它们应该比较喜欢群居生活，把小恐龙生在家族窝里，繁衍生息。原角龙属于无固定活跃时间的动物，其觅食、移动行为跟昼夜没有关联，它们每天只休息很短暂的时间，就能恢复体力了。

戟龙的盾牌有何用途

戟龙又叫刺盾角龙，生活在白垩纪晚期，是植食性角龙类恐龙的一种。它们区别于其他恐龙的特点是长有一个美丽的盾牌。

特征和生活习性

戟龙的外形兼具植食性恐龙和典型角龙类恐龙的特点。它们体长约5.5米，身高约1.8米，体重达2.7吨。戟龙四肢短小，但整个身体的骨架都很强健，胸廓宽大，便于肌肉附在上面。戟龙四肢的骨骼很粗壮，尾巴较短，喙状的嘴里长有颊齿。

与其他角龙类恐龙一样，戟龙也采取群居的方式生活，并且多与其他种类的植食性恐龙共同生活。

吓唬人的颈盾

戟龙的头颅硕大，身躯壮实，与之不相匹配的是，它们的颈部却长有美丽的盾状、环形装饰物，在盾状装饰物周围还长着4～6个大小不一的长角，构成了戟龙那大得吓人的颈盾。这个颈盾看起来很像中国古代兵器中的戟，戟龙的名字便由此而来。

这个外形美丽的盾牌长在戟龙身上似乎有点儿华而不实。它究竟有什么作用呢？

很多古生物学家认为，盾牌的主要作用是抵御肉食性恐龙的进攻。但是这一说法遭到了一些古生物学家的反驳。他们认为，盾牌似乎并不是进攻的利器，因为戟龙还长有一个更适合作为武器的尖角。这个巨大而直立的尖角，甚至能够刺穿肉食性恐龙的皮肉，留下一个深深的窟窿。这个尖角就像一把锋利的剑，是戟龙的重要武器，已经足以使任何凶残的进攻者望而却步。盾牌在抵御中能够发挥的作用并不显著。除此之外，还有些古生物学家认为盾牌的主要功用是散热和调节体温。

希望我们能尽快揭开戟龙的盾牌之谜，不再迷惑不解。

剑龙的骨板之谜

剑龙也叫骨板龙，是一种巨大的、长相古怪的恐龙，被人们称为“带屋顶的爬行动物”。

外形

剑龙的身体比例很奇特，它们有着又小又窄的头，却有着大象一样的身躯，成年的剑龙体长6～10米，重2吨左右。它们背上长有以交错的方式平行排列的巨大的骨板，尾部长有两对致命的骨钉。它们前肢短，后肢长，整个身体看起来就像一座拱起来的小山。

神奇的骨板

剑龙具有的神奇的骨板有什么作用呢？有的古生物学家认为，剑龙的骨板是抵

御的武器，可以保护它们的头部不受掠食者的尖牙的进攻。

但是，有的古生物学家则不这样认为。他们认为剑龙背上的骨板虽然是由骨头构成的，但这些骨板很轻很薄，容易受损，并非强有力的防御性武器。骨板的主要作用是调节体温，可用来御寒或者降温。

这个骨板的主要作用究竟是什么，目前尚无定论。

值得一提的是，剑龙的下颌骨到颈椎下方还分布有较细的骨板，它们密集地排列在一起，与脖子上的骨板结合起来就能完美地保护剑龙的脖子和头部，使其不受掠食者的撕咬，或者免受植物茎叶的割划。

习性

剑龙是一种植食性恐龙。它们行动十分迟缓，通常生活在茂密的丛林之中，主要采食靠近地面生长的蕨类和苏铁等，其进食方式与现在的牛羊的差不多。

长犀牛角的恐龙之谜

在恐龙界，有一种长着犀牛角的恐龙，那就是尖角龙。尖角龙生活在白垩纪晚期，属于植食性的角龙科恐龙，因鼻骨上的尖角而得名，并闻名于世。

犀牛的远古兄弟

顾名思义，尖角龙不仅有和犀牛角相似的尖角，就连长相和身材都酷似犀牛。尖角龙有着强而有力的粗壮四肢，脚趾很宽，尾巴很短，走起路来一摇一摆，屁股扭哇扭的。它们的外形敦实憨厚，其实它们却是不好惹的厉害角色。从以上几点来看，尖角龙简直具备了犀牛所有的特征，说它们是犀牛生活在不同时代的兄弟，丝毫不夸张。

尖角龙的角到底是做什么用的呢？好像并不是单纯用来攻击敌人

的。事实上，自从被发现是有角恐龙，尖角龙的角与头盾的功能长久以来都是被争论的主题之一。常见的理论有：1.抵抗掠食动物的武器；2.物种内部争夺地位的工具；3.装饰作用。目前，古生物学家们仍在探索其尖角的更多作用。

坚硬硕大的头部

尖角龙的头部很大，几乎与身体同宽。体形匀称，没有明显的身体曲线。它们的颈部还长有片状的骨头，古生物学家们将其称作“颈盾”。古生物学家们认为，颈盾大概是地位的象征，有些尖角龙的颈盾色彩亮丽，它们看起来与众不同，这有助于它们吸引异性。但是，这一说法并没有得到证实。

尖角龙的头部很重，每晃一次头，都会给颈部乃至身体骨骼带来很大的压力。为了适应这一特点，减缓头部对身体造成的劳损，尖角龙已经进化出了比其他恐龙都要强健的肌肉与韧带，骨头也更加坚硬，筋骨就像钢铁铸造的一样。

埃德蒙顿龙不断换牙之谜

埃德蒙顿龙属于鸟脚类恐龙中的鸭嘴龙类。完全长成的埃德蒙顿龙可达13米长，体重约4吨，是大型的鸭嘴龙类恐龙之一，在白垩纪晚期分布广泛。

外形特征和生存环境

埃德蒙顿龙是以其化石发现地——加拿大艾伯塔省埃德蒙顿来命名的。埃德蒙顿龙生活在距今7100万年前到6500万年前的白垩纪晚期。成年埃德蒙顿龙体形庞大，长达13米，重约4吨，是名副其实的大块头。埃德蒙顿龙曾被长期归类于鸭龙，直到近年才被归类于埃德蒙顿龙。

埃德蒙顿龙与暴龙生存于相同时期的相同环境中，它们彼此争斗，相互残杀，是天生的劲敌。一个在丹佛自然科学博物馆展览的成年埃德蒙顿龙标本，其尾部的神经棘上有明显的牙齿痕迹，这说明它们曾经被肉食性动物从后方攻击过。由于这个被攻击部位的高度至少有2.9米，因

此攻击者应该是一种体形巨大的动物，而从该化石的发现地区来判断，该地区的唯一大型肉食性动物是暴龙。

一生都在不停地换牙

埃德蒙顿龙能吃坚硬的植物，这需要很多用于咀嚼的牙齿。它们嘴中确实布满了牙齿，有上千颗，分布在上颚骨与齿骨上。值得注意的是，埃德蒙顿龙一生都在不停地换牙。它们的换牙周期非常长，一颗牙齿需要约一年的时间来生长。新的牙齿会不断地生长以取代脱落的牙齿。

埃德蒙顿龙为什么要持续不断地换牙？有的古生物学家认为，植物汁液会腐蚀它们的牙齿，导致它们食不甘味，所以它们主动更换牙齿，从而获得好胃口；有的古生物学家则认为，埃德蒙顿龙的牙质非常不好，牙齿周期只有很短的时间，换牙并非主动为之，而是不得不经常换。埃德蒙顿龙究竟为何换牙，我们尚不得而知。

我们都对换牙的痛苦经历记忆颇深，埃德蒙顿龙却一生都要经历这种过程，其痛苦程度可想而知。我们不禁要为埃德蒙顿龙的境遇叹息一声，希望它们换牙的时候，不至于太疼痛。

埃德蒙顿甲龙的铠甲之谜

生活在白垩纪晚期的埃德蒙顿甲龙，其生活区域相当于如今的北美洲，是一种植食性的甲龙类恐龙，却长着一副厚重的铠甲，让它们宛如武士。

威武强硬的铠甲

埃德蒙顿甲龙的外形别具特色。它们的身体上长着一层层的钉状甲板和块状甲板，就连头部和颈部上也有，这些骨板的表面可能还包着一层角质，使骨板坚硬异常。这些遍布全身的坚硬的甲板和骨板，就像为埃德蒙顿甲龙披上了一层威武、强硬的铠甲，让它

们看起来就像白垩纪的武士，威风凛凛。

然而关于这幅铠甲的作用，古生物学家却各执己见。有的古生物学家认为铠甲坚硬无比，是埃德蒙顿甲龙抵御肉食性恐龙进攻的护甲；有的古生物学家则认为铠甲的主要作用是御寒。究竟哪种说法更在理，还需要古生物学家们的进一步论证。

身背数把“宝剑”

埃德蒙顿甲龙身体两侧长有尖锐的骨质刺，这是它们与生俱来的武器，就像两排锋利的宝剑一样护卫着它们。每当遭遇危险的时候，埃德蒙顿甲龙就用“宝剑”指着敌人，使敌人望而却步。

爱挑食的孩子

埃德蒙顿甲龙的嘴巴细长而狭窄，不适合咀嚼很多质地和形状的食物，古生物学家们由此推测它们可能非常挑食。

然而，挑食并非埃德蒙顿甲龙所愿，它们也想尽情地享受各种美食，汲取丰富的营养。但是，埃德蒙顿甲龙的嘴巴决定了它们只适合食用一些细长多汁的根茎或树叶，在条件允许的前提下，它们会选择一些汁液多的植物来食用。这减少了埃德蒙顿甲龙咀嚼的负担，并且有利于消化。只是，如此一来，埃德蒙顿甲龙就只能以素食为主，饮食结构变得异常单调，没什么口福了。

南方盗龙的归属之谜

南方盗龙生存于约7000万年前，是目前在南半球所发现的最大型的驰龙类恐龙，它们外形独特，在恐龙家族中别具一格，很有辨识度。

短小的前肢

南方盗龙的体长大约5米，头骨较长，约有80厘米。它们的后肢刚劲有力，前肢却十分短小，整个身体构造看上去有点儿滑稽。这种身体比例并不是南方盗龙所独有的，暴龙也有着与其相似的短小的前肢。所以，前肢短小可能并非南方盗龙的独特之处。

难以确定的归属

南方盗龙究竟该如何归类呢？对此，古生物学家们莫衷一是。

有的古生物学家认为南方盗龙属于盗龙科。它们的肱骨只有股骨的一半长，带有明显的盗龙特征。但是这种说法似乎失之偏颇。有的古生物学家认为南方盗龙属于伤齿龙科。他们通过对南方盗龙化石的研究，发现南方盗龙的头骨形状较长，带有伤齿龙科的特征。但是这种说法有些以偏概全。有的古生物学家认为南方盗龙的牙齿呈圆锥状，没有锯齿状的边缘，应该属于棘龙科。凭借这一点就将南方盗龙草率归类似有不妥。还有的古生物学家根据南方盗龙的脊椎特征，将其归类为驰龙科的半鸟亚科。这种说法同样言之尚早。看来，南方盗龙的归属问题只能有待更多化石标本的出土才能判定了。

南方盗龙化石

弯龙的眼睑骨之谜

弯龙生活在侏罗纪晚期，是一种植食性的恐龙。它们与禽龙长相相似，前肢短，后肢长，可四足行走，身体笨重，行动迟缓，其化石多分布在欧洲西部和美国西部。它们因大腿骨弯曲而得名。

可爱而独特的外貌

弯龙的脑袋小而多肉，形状就像马头。和头部相比，它们的身躯庞大而厚实，完全具备了“小脑袋大身子”这一特点，样子滑稽又可爱。它们前肢短，后肢长，身后还拖着一条长长的尾巴，走起路来一晃一晃的，貌似很悠闲呢！

三十六计——走为上

弯龙没有角鼻龙那样尖锐而锋利的短角，也不像很多恐龙那样长有锋利的长爪子或尾巴，它们没有防御武器，也没有谋生技能。因此，一旦遇到危险，它们通常选用“三十六计——走为上”的策略，以迅雷不及掩耳之势逃之夭夭，真是可爱至极。

眼睑骨之谜

值得一提的是，弯龙眼眶处长有一块与众不同的骨头——眼睑骨。这块特别的骨头有何用途呢？有的古生物学家认为这块眼睑骨可以帮助它们扩大视野，提升视力水平；有的古生物学家认为这块眼睑骨并无特别的用处，只是用作装饰。这块骨头到底有无特别的用处，究竟有什么用途，至今还没有定论。

单爪龙是恐龙还是鸟

单爪龙身上长有羽毛，与鸟类有着千丝万缕的联系，是鸟类的近亲。它们生活在白垩纪晚期的蒙古。

外形特征

单爪龙是一种小型的兽脚类恐龙，体长约1米，双脚修长而敏捷，可以快速奔跑，这种外形使它们在其所生存的沙漠平原的环境中能快速获取食物并躲避天敌。

短小而实用的上肢

单爪龙长有极其短小的上肢，其上肢只有一个结实的大爪。它们可以利用上肢凿穿土丘，从而吃到土丘里面的白蚁。

习性特征

单爪龙头部小，牙齿小而尖，显示它们是以昆虫和其他小型动物为食的，例如蜥蜴与小型哺乳动物。它们的眼睛可能很大，这有助于它们在较寒冷、较少掠食动物的夜晚猎食。

是恐龙还是鸟

单爪龙兼具恐龙与鸟的特征，很难定义其归属。有的古生物学家认为单爪龙是鸟，因为它们有几个重要的特征都与鸟类相似，比如它们有龙骨突，这是鸟类的典型特征；又比如它们退化的腓骨也与鸟类的高度相似。

但是，有的古生物学家则不认同这种观点，他们认为单爪龙毋庸置疑是恐龙。因为它们的牙齿与恐龙家族的高度吻合，一条长长的尾巴也与恐龙无异，它们分离的跖骨更毫无疑问是恐龙的骨骼结构。

“近鸟派”和“近恐龙派”的古生物学家争执不休，单爪龙的归属问题，只能留待日后解决了。

探索·发现：令人惊讶的恐龙之最

亲爱的小朋友，让我们搭乘时光穿梭机回到神秘的恐龙时代，与恐龙亲密接触，深入了解那些你想不到的恐龙奥秘吧！

长脖子之最

长颈鹿的脖子一般在2米左右长，已经够长了吧？可与马门溪龙的脖子比起来，那可真是小巫见大巫。马门溪龙体长约26米，光脖子就有将近14米长，想想，那可是4层楼的高度哟，所以它们轻轻松松就能够到大树的顶端。

体形差异之最

最长的阿根廷龙有36米，最重的阿根廷龙将近90吨。而赵氏小盗龙是世界上已知体形最娇小的恐龙，从头到尾约40厘米长，也就相当于一只鸡的大小。这个体形差异是你想不到的吧？

小脑袋之最

恐龙虽然大多体形庞大，但它们的身材可是典型的两头小、中间大。看看最长的梁龙，虽然体长可以达到27米，头却只有马头那么大。剑龙的大脑和一颗核桃的大小差不多。

体形差异之最

最长的阿根廷龙有36米，最重的阿根廷龙将近90吨。而赵氏小盗龙是世界上已知体形最娇小的恐龙，从头到尾约40厘米长，也就相当于一只鸡的大小。这个体形差异是你想不到的吧？

小脑袋之最

恐龙虽然大多体形庞大，但它们的身材可是典型的两头小、中间大。看看最长的梁龙，虽然体长可以达到27米，头却只有马头那么大。剑龙的大脑和一颗核桃的大小差不多。

第四章

恐龙灭绝之谜

Konglong Miejue zhi Mi

恐龙骤然灭绝之谜

地球是一位善良无私的母亲，为浩如烟海的生命提供生存的空间；地球又是一位冷漠残忍的母亲，不会让任何一种生物长存于世。恐龙，曾是地球最宠爱的孩子，也没能获得“网开一面”的待遇。

早有衰落迹象

恐龙已经灭绝，这是众人皆知的事情。但它们灭绝的速度是快还是慢，人们的争议可就大了。

科学界有一个派别，叫“渐进主义学派”。这种学派认为，很多事物的发展都有一个循序渐进的过程。古生物学家认为，恐龙的命运也是如此。恐龙在灭绝之前，其生命力和势力都渐渐衰微，不可避免地走上了下坡路。

加利福尼亚大学伯克利分校的威廉·克莱门斯是这个派别的代表，针对恐龙灭绝的问题，他和相关人员已经持续研究了几十年。他们断定：统治地球约两亿年的恐龙，还没等到天降横祸，就已经走上了穷途末路。也就是说，即使没有小行星出现，恐龙也会灭绝，只是速度不会那么快而已。

综合因素论

渐进主义学派对几千万年前的环境进行了模拟分析，进而具体地阐述了恐龙的缓慢灭绝论：

首先，在白垩纪和第三纪交界之前大约1000多万年，恐龙的生活环境就在显著恶化。当时，海平面急剧上升，沿海植被变得匮乏，恐龙的自然栖息地逐渐消失。食物和生存空间的减少，让恐龙面临第一波灾难，大量的恐龙种类走向灭绝。

接下来，全球化的火山喷发，导致大量土地被侵蚀，平均气温上升，海啸、地震等自然灾害相继而至，这些都沉重打击了恐龙家族。

最后，已经在苟延残喘的恐龙们又遇到小行星撞击事件，彻底灭绝了。

数周内骤然消失

渐进主义学派的观点发表后，立刻招致许多人的反对。密尔沃基公共博物馆的古生物学家彼得·希汉就是其中一位。他通过研究约6500万年前的地层化石结构，对上述说法提出质疑：“我们发现，当时恐龙生活得相当好，灭绝的厄运是突然降临的。”

有科研小组曾对地狱谷岩层露出地表的部分，进行过长达3年的研究。他们发现：在总计180英尺深的岩层里，以暴龙和三觭龙为代表的肉食性恐龙和植食性恐龙，在数量和种类上始终维持着稳定状态。然而，在小行星撞击地球形成的多铱岩层之上，就再也找不到恐龙化石了。

由此，他们认为，恐龙直到最后灭绝之前，都保持着物种的多样性和庞大数量，完全没有衰落的迹象，它们是在遭遇灭顶之灾后骤然灭绝的。

恐龙与超新星爆发

小行星撞地球是一件极为惨烈、可怕的事情，但与超新星爆发比，就是“小巫见大巫”了。一颗超新星爆发，甚至能对多半个星系造成影响。那么，恐龙灭绝是否与超新星爆发有关呢？

超新星是怎么来的

不同质量的恒星，最终的命运也不同。像太阳这样的小质量恒星在年老时，会先膨胀，然后收缩成白矮星或蓝矮星，再变成黑矮星，最终消失不见。也就是说，太阳是没有“资格”成为超新星的。

超新星是大质量恒星演化过程中的一个阶段。这些恒星将死的时候，往往不甘寂寞，来一次华丽的大爆炸，即超新星爆发。超新星爆发能照亮它所在的整个星系，并持续几个星期或几个月！

超新星爆发后会面临不同的结局，要么被炸得连渣都不剩，要么变成中子星或黑洞。

超新星的罪与功

超新星爆发毁灭的不仅是自己，也会让周边的天体遭殃，如果它真的变成一个黑洞，连光都难逃一“吸”。

不过，超新星爆发也会促进新天体的产生。大约在46亿年前，一颗超新星与一大团星云相撞，就像拿着笤帚清扫尘土垃圾一样，将弥漫在各处的星云朝一个中心挤过去，后来，在星云中央挤出一块稠密的物质，这个物质就是太阳的前身。

恐龙与超新星

物理学家华莱士·塔克和古生物学家戴尔·罗素就恐龙灭绝的问题，提出一个新设想，即恐龙是被超新星杀死的。他们称，太阳系附近的超新星会为生活在白垩纪末期的恐龙带去灭顶之灾。因为一个邻近的恒星爆炸，X射线和其他形式的辐射会对大气的上层造成破坏，并且很快改变气候，造成地球温度骤降。

小行星背黑锅

天文学家什克洛夫斯基和巴西的一些科学家也赞同上述观点。他们认为超新星爆发时，强烈辐射能影响极远的距离，这对生物是致命的。什克洛夫斯基坚称，在恐龙灭绝这一事件上，小行星替超新星背了黑锅。

不过，想证实这一观点，最直接、有效的办法就是找到约6500万年前，太阳系附近的确有超新星爆发的迹象。遗憾的是，所有持这种观点的科学家，至今都没能拿出直接的证据来。

小行星撞地球假说

天上的星星大多是遵守秩序的，大家在各自的轨道上运行，彼此相安无事。然而，总有一些小行星，喜欢在宇宙中四处流浪、横冲直撞。一旦与这些捣蛋分子“亲密接触”，星球轻则产生小范围爆炸，重则彻底毁容。

“无敌破坏王”

恐龙究竟是如何灭绝的？人们的说法五花八门，最[illegible]为人知的非小行星撞地球假说莫属。

这种学说认为，大约6500万年前，一颗小行星迷路了，它脱离自己的运行轨道，一头撞到了地球上。这下，地球可遭了殃，火山肆意

地喷发岩浆，地震频频发生，海面上掀起狂波巨浪。在数年时间内，整个地球被浓浓的火山灰和毒气覆盖着。植物无法进行光合作用，植食性恐龙纷纷饿死，肉食性恐龙也随之彻底消亡。

证据何在

1980年，人们在6500万年前左右形成的地层中发现了高浓度的铱，其含量超过正常含量几十倍甚至数百倍。这样高浓度的铱在地球上是无法形成的，只可能在陨石中找到。于是，科学家提出了“小行星撞击说”，后来，科学家们果真找到了一个大陨石坑。它位于中美洲犹加敦半岛的地层中。

“罪犯”不止一个

有的古生物学家认为，恐龙的确是因为小行星撞地球而灭绝的，但这桩惨案不是由一颗小行星造成的，而是两颗。这两颗小行星彼此靠近，由空间岩石组成，在某种程度上可以称为“双体小行星”。两颗小行星间有一定距离，它们都对地球造成了严重破坏，但第二颗带来的影响更大，在恐龙灭绝事件中，承担主要责任。

或是冤假错案

有的古生物学家称，小行星的确在约6500万年前撞击了地球，不过只做了灭绝恐龙的扫尾工作而已。假如小行星撞击时，地球上的众多生物距离灭绝还很远，那么，撞击产生的大火燃烧森林后，势必会在相应时代的岩层中留下木炭的踪迹。然而，古生物学家却没有找到这种踪迹。由此可见，小行星撞击地球的时候，恐龙等生物已经快消亡了。

小行星真的被冤枉了吗？答案还不得而知。

恐龙死于窝内假说

从生命诞生至今，灭绝的生物数不胜数。然而，没有任何一种生物能像恐龙这样，引起一代又一代人的瞩目。

送给恐龙迷的噩耗

恐龙究竟是被谁赶尽杀绝的？古生物学家给出了一堆嫌疑犯，却至今没有确定真凶。相当一部分古生物学家认为，真凶就是恐龙自己！

俗话说：“虎毒不食子。”恐龙似乎没这么高尚。古生物学家乔治·维兰德在20世纪早期提出：恐龙自己把恐龙蛋吃光了，自然就灭绝了。

蜥脚次亚目的蛋最香

乔治·维兰德说，很多肉食性恐龙不仅爱吃肉，更爱吃蛋，尤其爱吃蜥脚次亚目的蛋。可怜的恐龙妈妈连自己的命都很难保住，自然不能阻止附近的肉食性恐龙不断地掠夺恐龙蛋。更可怕的是，蜥蜴、蛇等爬行动物也对恐龙蛋感兴趣，而且它们不挑食，不会专挑蜥脚次亚目的恐龙蛋去吃。

就这样，恐龙蛋越来越少，恐龙也就逐渐退出了历史舞台。

证据不足

和很多科学家一样，乔治·维兰德也拿不出足够的证据来支持自己的论点。相反，一些研究机构则找到了反驳这种观点的有力证据。比如，耶鲁大学的研究人员通过研究最终得出结论："没有证据证明恐龙蛋和幼年恐龙是恐龙自己的主要食物。"他们说，尽管有证据表明恐龙、蛇、蜥蜴乃至一些哺乳动物都会偷吃恐龙蛋和小恐龙，但是这种行为绝对不会导致大规模的物种灭绝。

恐龙蛋病了

乔治·维兰德的观点虽然经不起推敲，但并不能说明恐龙死于窝内假说是无稽之谈。

无脊椎动物化石专家H.K.厄本和他的同事同样认为恐龙蛋导致了恐龙的灭绝，只不过方式不同。

研究人员在法国南部和比利牛斯山脉发现了一些恐龙蛋化石。研究人员经细致研究后得出结论：这些恐龙蛋都病了，而且感染了两种疾病。其中一种疾病导致多层蛋壳层产生，使恐龙胚胎窒息；另一种疾病则导致蛋壳变薄，使恐龙胚胎脱水。这两种疾病都能致命。

那么，恐龙蛋为什么会生病呢？古生物学家尚在研究之中。反对者称，恐龙蛋变形、生病一事的确存在，但只是发生在个别地区，这一解释不适用于所有的恐龙灭绝。

放屁是罪魁祸首吗

对人来说，放屁是一件既熟悉又尴尬的事情。放屁虽然不雅，危害却不大，最坏的情况也就是令鼻子遭殃、让人丢面子而已。然而，对恐龙来讲，事情就没那么简单了。

屁与甲烷

一些古生物学家认为，恐龙是被自己的屁害死的。这并不是因为它们的屁太臭了，也不是因为屁太响了，而是它们的屁里含有大量甲烷。

屁含多种成分，氮含量最多，其次是氢、二氧化碳、甲烷和氧等。以前，人们一直认为甲烷是让屁产生臭味的罪魁祸首，其实臭味是大肠杆菌等腐败菌在分解蛋白质时所产生的氨、硫化氢、粪臭素产生的。

“甲烷制造机”

恐龙家族中，大块头比比皆是，尤其是植食性恐龙，比如，马门溪龙、梁龙等。

恐龙长得如此庞大，为了维持生命，就要吃大量的绿色食物。这些绿色食物会在肠胃里形成甲烷、二氧化碳胀气，最终形成屁，排出体外。

据调查，全球的牛和其他家畜平均每年释放大约1亿吨甲烷气体。这和远古时代的恐龙比起来，实在毫不起眼。一个研究小组推测，光是马门溪龙、梁龙这样的大型植食性恐龙每年就会产生5.2亿吨甲烷，远远超过现今人类温室气体排放的总和。

所以说，恐龙是名副其实的“甲烷制造机”。

臭屁有“毒”

甲烷有功也有过。它是一种很重要的燃料，但数量过大时，会促使温室气体剧增，从而影响环境。一些古生物学家认为，从恐龙体内排放的甲烷如此多，这很容易导致地球气候转暖，甚至酿成重大气象灾害。恐龙最终灭绝与这些因素有关。

证据不足

放屁灭绝说看似有理有据，却招来很多反驳和讽刺。有些古生物学家认为，这种观点和外星人灭绝恐龙论一样，完全是不科学的说法。它严重夸大了事实，只是一些研究人员或媒体为了吸引人们的眼球所进行的不良宣传。要知道，各种各样的蜥脚次亚目恐龙存在了数千万年，天天都释放大量臭气，却没有表现出因臭屁而灭绝的标志性迹象。

气候变化与恐龙之死

有些古生物学家认为，气候变化才是恐龙灭绝的主要原因。但这些古生物学家的观点也不完全一致。下面，咱们就去瞧一瞧，看看哪一派的说法更有道理。

观点一：恐龙是热死的

有的古生物学家根据深海地质钻探得到的资料指出，约6500万年前，地球上的气候发生了异常变化，温度忽然升高，江河湖泊尽数干涸，植物非枯即死。恐龙散热能力差，这种突然升高的气温，让它们无法及时散出体内多余的热量，内分泌系统紊乱，雄性个体的生殖系统遭到严重损坏。

就这样，雄性恐龙的身体越来越差，甚至无法繁殖后代，渐渐走向了灭亡。

观点二：恐龙是冻死的

坚持“低温致死论”的古生物学家也不在少数。这些古生物学家有迥然不同的推测过程。他们认为，在距今约7000万年前，北冰洋与其他大洋之间被陆地完全隔开，含盐的海水逐渐变成了淡水。到了距今约6500万年前，北冰洋与其他大洋间的“堤岸”突然决口，大量淡而轻的水流入其他大洋，导致地球发生翻天覆地的变化。

首先，北冰洋的水温度很低，这些冷水形成一层冷流，使地球大洋的海水温度迅速地下降了大约20℃。海洋温度下降，大陆上空的空气随之变冷，水蒸气含量迅速减少，导致陆地严重干旱。其次，天气骤然变冷，温度不断降低，大气含氧量也会不断下降。恐龙身上没有毛和保暖器官，受不了寒冷的侵袭和呼吸不畅的折磨，生存越来越艰难。

此派科学家认为，恐龙正是在以上因素的综合影响下，不可避免地灭绝的。

从诞生起就饱受气候之害

气候，真是让恐龙吃尽了苦头。有的古生物学家称，恐龙在诞生的头3000万年，大多只能在两极附近繁衍生息。因为恐龙多是大块头，从孵化开始就需要大量而稳定的食物供给。而那时，地球上大多数地区炎热无比，植物稀疏，极端气候不可预测地来回交替，这些都令恐龙望而却步。

海底火山灭绝假说

地球上空飘着好几层“盔甲”，其中一层便是臭氧层。如果臭氧层遭到破坏，地球上的生物就会遭殃。有人认为，恐龙就是其中的倒霉蛋。那么，是谁导致史前臭氧层出现大面积空洞的呢？罪犯很可能潜藏在海底。

臭氧层功劳大

臭氧绝大部分都集中在离地面20～25千米的平流层中，平流层中臭氧浓度最高的一层被称为“臭氧层”。大气中臭氧的总含量非常少，还不到十万分之一。这极其稀薄的一层臭氧，对于地球来说却极为重要。

阳光中含有紫外线，它会破坏包括DNA在内的生物分子，使动物得

重病。此外，它对农作物，甚至海洋生态系统等，也会造成负面影响。臭氧层堪称紫外线的克星。它能吸收阳光中的紫外线，并将其转换成热能。所以，当臭氧层出现空洞，地面的生物就会受到严重影响。

恐龙为何遭殃

俄罗斯科研人员在昆杜尔地区和布列亚河附近等地发掘出了大量白垩纪时期的恐龙骨骼化石。科研人员研究后发现，这些恐龙在死前，肢体已经长期溃烂了。进而，他们得出一个观点：恐龙灭绝的原因与臭氧层空洞密切相关。

海底火山惹的祸

俄罗斯古生物学家认为，在白垩纪时期，太平洋中部曾发生过规模极大的海底火山爆发。火山爆发产生了大量含碳的气体，这些气体升到空中后，严重地改变了地球的大气成分，使大气中出现超大面积的臭氧层空洞。臭氧层遭到破坏，紫外线就会肆无忌惮地攻击地球。这不仅使恐龙的肢体产生病变和溃烂，还影响了气候和食物链。

后来，火山爆发的次数变少了、规模变小了，含碳气体排放量随之降低，臭氧层空洞逐渐消失。这看起来是好事，却导致地球气候再次发生大规模改变。恐龙禁不住这一番番折腾，彻底退出了历史舞台。

不过，这只是俄罗斯研究人员的观点，其真实性还有待于进一步论证。

> **你知道吗?**
>
> 臭氧与氧气虽然属于一个家族，组成元素都是氧元素，但有着明显区别。简单来说，1个氧分子由2个氧原子构成，而1个臭氧分子由3个氧原子构成；在常温下，氧气是无色无味的气体，而臭氧却是有特殊气味的、天蓝色的气体。

海水温度影响大

意大利著名物理学家安东尼奥·齐基基指出，除了臭氧层空洞，火山爆发导致的海水变温同样会影响恐龙的生存。他认为，大规模的海底火山爆发会影响海水的热平衡，进而使陆地气候发生变化，这样势必会影响当时的陆地之王——恐龙的生存。

既是天灾，也是地祸

普林斯顿大学的研究人员在德干地盾（印度西部的一个原始火山链）研究了熔岩流中的海底沉积物。这些沉积物显示，地球上曾发生过极大规模的海底火山爆发，引起了物种大灭绝。另一个研究小组在印度沉积物中发现的证据证明，一些恐龙在德干地盾火山喷发后，侥幸存活，却被从天而降的小行星毁灭了。

由此，这些研究人员认为，恐龙灭绝是由海底火山喷发和陨石撞击双重灾难导致的。

地球上还有幸存的恐龙吗

众所周知的尼斯湖水怪有可能是蛇颈龙，如果能证实的话，或许这意味着世界上还存在着恐龙幸存者。毕竟在蛇颈龙生活的时期，地球上也生活着很多恐龙，也许某种恐龙和蛇颈龙一样，躲过了各种灾难，一直活到现在。

泰莱湖中的水怪

在非洲刚果（布）的热带丛林中，有一个刀斧未入的原始角落，那就是泰莱湖地区。这是一个被遗忘的世界，孕育着无数的神奇。1983年，以刚果生物学家马赛兰为首的考察队，从一个名叫莫贡戈的小村落开始了考察工作。

考察队乘独木舟沿利夸拉河深入泰莱湖地区。在埃得扎玛河畔，考察队看到几棵碗口粗的断树躺在那里。他们听说，一天，一艘满载旅客的

机动船夜泊埃得扎玛河的一片芦荡附近。夜半，正当人们熟睡的时候，船只突然莫名其妙地被推到河中心。一位名叫匹斯卡尔的渔民说，一天晚上，他在这里捕鱼，看到岸上有一个奇异硕大的动物在静悄悄地吃草。它察觉周围有动静，于是发出尖厉可怕的叫声，很快就冲到了河里。碗口粗的树被它撞断了好几棵。古生物学家们听到这个消息后非常激动，便在当地蹲守。功夫不负有心人，第六天的时候，他们终于拍到了那个怪兽。

或许是雷龙

那是一个庞大的动物，背部非常宽阔，露出水面的部分有4米长，头很小，额头呈棕褐色，肤色黝黑，身上无毛，在太阳下闪闪发光。在古生物学家们不停拍摄的时候，那怪兽似乎察觉到什么，小小的脑袋在空中东张西望，然后钻进水中。据说，这种动物的新陈代谢很缓慢，每饱食一次，就会躲在水下的洞穴内进行长时间的休眠。泰莱湖水深的地方有10米，湖底有许多暗洞，暗洞一般都与周围的河水相通。

那怪兽可能是恐龙。古生物学家们为此议论纷纷，但要在对这种巨

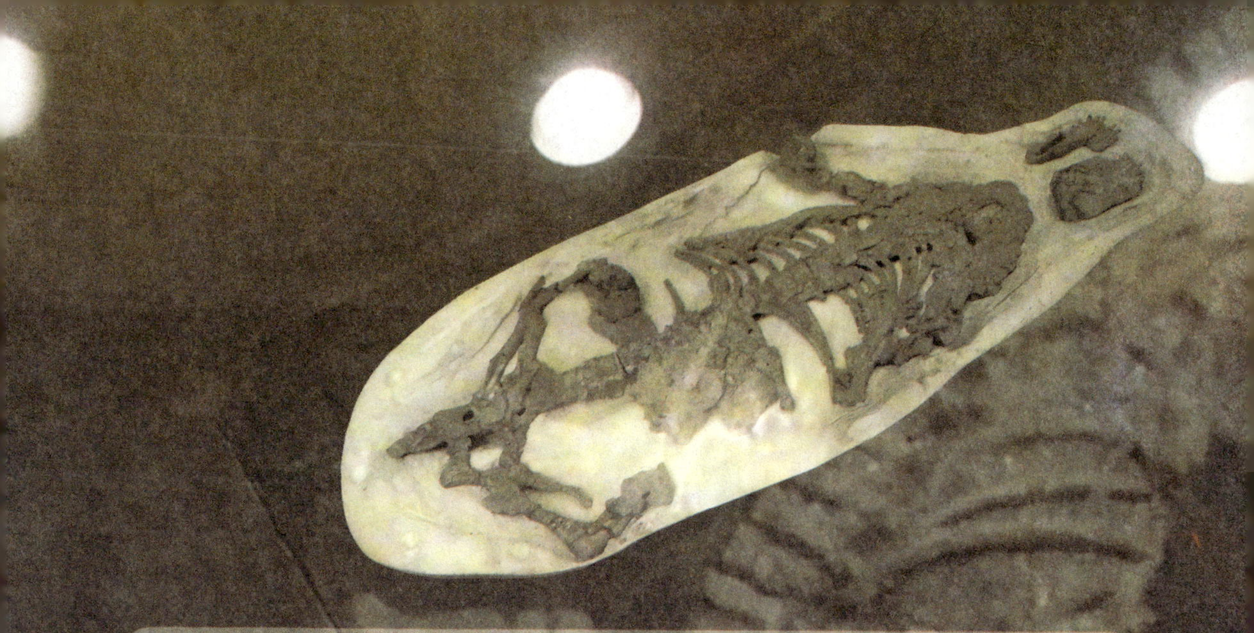

型动物的体骸、结构及其他特点进行科学分析后，才能做出回答。不过，没过多久，在瑞士召开的国际地层古生物协会会议上，发布了泰莱湖区发现了一只活恐龙的消息。

科学家们还录到了6次水怪的叫声。这叫声的特征是，一为清晰的砰砰声，一为特有的高频声，像风穿过树林的尖叫，越往后越尖厉。一位权威学者说：“在我听过的所有动物的声音中，从未有过这样的吼叫声和砰砰声，如果这不是恐龙的叫声，我敢肯定，至少是一种尚未发现的新物种。”

此外，探险队还带回了一些恐龙脊椎骨的骨架、头骨和大腿骨。经过碳14同位素测定，头骨形成仅有10万年左右。这证明，在10万年前，泰莱湖仍有恐龙生存。

根据录像和照片，以及当地目击者的介绍，古生物学家们推测泰莱湖的活恐龙，可能是雷龙。但是仍缺乏足够的证据证明。不少的古生物学家仍不认同这一观点。

海啸加速灭亡假说

海啸是由海底地震、火山爆发、海底滑坡或气象变化产生的破坏性海浪。海啸的波速高达每小时700～800千米，在几小时内就能横过大洋，摧毁堤岸，淹没陆地……似乎只有它，才能一夕之间将恐龙这种庞然大物消灭殆尽。

人们最熟悉的一种恐龙灭绝论莫过于小行星撞击地球假说。但是，新的地质学记录表明，这次相撞仅仅是一个开始，最终导致恐龙灭绝的，可能是这次撞击引发的一次巨大海啸。

约6500万年前，一颗小行星与地球相撞，这次撞击不但使地球上发生了巨大的爆炸，还引发了一次几乎席卷整个地球的巨大海啸。这次海啸

致使高达几百米的巨浪冲上岸边，席卷了离岸几百千米的内陆。这对于生活在这个时期的恐龙来说无疑是致命的打击，它们不但要面对大爆炸所产生的高温气候，还要遭受巨浪的冲击。这样双重的灾难，不仅给海洋生物带来了灭顶之灾，也使陆地上的生物遭受到了前所未有的劫难，这其中当然也包括地球的霸主——恐龙。

虽然“海啸加速灭亡假说”只是一种猜测，但是古生物学家曾在墨西哥靠近圣·罗萨利奥的海岸峡谷发现了发生过大海啸的证据。这就为这种假说的成立提供了有利证据。

但是，恐龙的灭绝是不是就真的与这次海啸有关呢？尚没有完备的理论根据，所以，这个问题还有待商榷。

恐龙被烤死假说

甲烷是天然气、沼气、坑气等的主要成分，俗称瓦斯，是一种常见燃料。火山爆发、植物都能释放出大量甲烷，科学家们甚至还在太阳系外一颗行星的大气中发现了甲烷。在恐龙生活的时代，空气中含有大量甲烷，势必会给恐龙带来毁灭性的影响。

甲烷是罪魁祸首吗

有的科学家提出了一个全新的理论，他们认为，恐龙是被海底释放的甲烷燃烧产生的大火活活烤死的。当然，他们认为这场大火是由约6500

万年前的那次小行星撞击地球产生的。

美国科学家解释说，在约6500万年前的白垩纪时期，海平面几百米以下的沉积岩岩层中含有大量的腐败植物，植物的腐败产生了大量的甲烷。而小行星剧烈地撞击地球所产生的巨大冲击波，会传遍整个地球，这就导致蕴藏在沉积岩中的甲烷被释放出来，进入大气层。富含甲烷的大气有可能在闪电的触发下被点燃，进而导致大火漫天，炙热的烈火把生存在地球上的恐龙都给活活烧死了。

不同的声音

但是，有的古生物学家却不认同这一假说。因为这种假说不能解释为什么只有恐龙在甲烷导致的大火中灭绝了，而一些早期的哺乳动物却得以继续生存。

“恐龙被烤死假说”目前还没有足够的论据支持，我们尚不能判断其真伪。

恐龙食物中毒假说

关于恐龙灭绝的原因，不同于国外一些古生物学家归结到宇宙、地球等巨大的外部因素，中国的古生物学家提出了截然不同的观点，他们认为是植物导致了恐龙的灭绝。

微量元素祸患无穷

古生物学家们分别选取埋藏在四川盆地中部、北部和南部的属于侏罗纪不同时期的50多具恐龙骨骼化石样本进行了中子活化分析，发现恐龙骨骼化石中砷、铬等微量元素的含量明显偏高。古生物学家们猜测，恐龙灭绝很有可能是恐龙生前食用过多含有砷、铬等微量元素的植物造成的。恐龙的新陈代谢作用使得砷、铬沉淀在其骨骼中。这个推论尽管只是一种推测，但也在对恐龙化石埋藏地的植物化石研究中得到有利佐证。

被子植物或许是肇事者

恐龙生存年代末期，地球上的裸子植物逐渐

绝迹，取而代之的是大量的被子植物。这些植物中含有裸子植物中所没有的毒素，少量食用对身体或许无大碍，但是恐龙食量奇大，大量摄入被子植物导致体内毒素积累过多，恐龙终于被毒死了。

肠胃问题终酿大祸

植食性恐龙以苏铁、羊齿为食，后来这类植物大量灭绝，恐龙便改食柳树或者桑树类植物。这种食源令它们的肠胃感到不适，食而不化，造成了严重便秘，最终导致了恐龙的死亡。

在上述“食物中毒说”中，尚不能确定哪种食物是恐龙的中毒源，或许是在地球生物集体变质的综合作用下，恐龙才中毒而亡的。

是哺乳动物杀死了恐龙吗

关于恐龙灭绝的原因，古生物学界提出了许多自然灾害假说。但是这些假说似乎都不能说明一点：地球上现存的动物依然有恐龙时代的哺乳动物、鱼类和植物，如果发生那种毁灭性的灾难，遇难的应该不只是恐龙吧?

意想不到的凶手

很长一段时期，古生物学家们一直认为，白垩纪末期大批恐龙消亡之后，哺乳动物才摆脱了恐龙的压迫，开始兴盛繁衍，多样性发展。但《自然》杂志上刊登的一份研究报告表明，在恐龙灭亡之前，已经有一些类啮齿类哺乳动物开始兴盛繁衍了。例如，大约 1.65亿年前出现，到3400万年前灭绝的多瘤齿兽。

以多瘤齿兽为代表的哺乳动物能在“唯恐龙独尊”的时代存活并发展起来，其能力一定不容小觑。它们的最大优势是长有尖利的牙齿。

美国华盛顿大学古生物学家威尔逊和他的团队对多瘤齿兽类动物的牙齿化石进行分析研究，发现它们的牙齿化石极细小，并且，随着时间的推移，它们的牙尖演化得越来越多。牙尖越多，碾碎植物的效率就越高，饮食范围也就更广泛。据此，研究人员推断，早在恐龙消亡前2000万年，多瘤齿兽类就已经进化得多样化，甚至拥有巨大体形了。这就表明，恐龙可能再也不是一家独大的王者，以多瘤齿兽为代表的哺乳动物可能在与恐龙的争斗中，慢慢地取得了竞争优势。

没想到吧，看似不起眼的哺乳动物，或许可能是恐龙的终结者呢！

恐龙蛋的觊觎者

虽然，此时的哺乳动物在体形、体能上尚不能与恐龙一较高下，但在恐龙时代末期，最初的小型哺乳动物出现了。这些小型哺乳动物属于啮齿类肉食性动物，它们不但与恐龙争夺食物，还转而对恐龙蛋下手。由于这种小型哺乳动物行动灵活，难以捕捉，繁殖力也越来越强，数量日渐增多，最终，它们吃光了恐龙蛋。

谁是最后灭绝的恐龙

恐龙诞生自三叠纪晚期，一直到白垩纪末期灭绝，统治了地球长达1亿多年。在这么长的时间中，有些种类的恐龙生活在三叠纪，有些则生活在侏罗纪，而即便最长寿的恐龙种族也都在白垩纪走向了灭亡。那么，究竟哪一种恐龙是最后灭绝的呢？

重点疑似对象

在1亿多年以前，地球上最具发言权的是恐龙——这个被认为是世界上存在过的最庞大的动物家族！但是，曾经的辉煌却经不起巨大的变故。一切都在时间的面前变得渺小如珠，恐龙也是如此。古生物学家曾经煞费苦心地想把那些遥远的故事为我们加以还原，但再怎么努力他们能做的都只是一些猜测和推断！古生物学家为了把恐龙的生活轨迹还原得更清晰一些，就把恐龙生存的年代分为不同的时期：三叠纪、侏罗纪和白垩纪。

不同的恐龙生活在不同的时代，没有任何一种恐龙能跨越这3个时期，也就是说，最后灭绝的恐龙肯定生活在大约6500万年前的白垩纪。古生物学家经过多年研究后得出结论：可能坚持生存到恐龙灭绝前最后一刻的恐龙有许多种，比如角龙、肿头龙、埃德蒙顿龙、暴龙等。它们都有可能是世界上最后灭绝的恐龙。

是三角龙吗

虽然在恐龙生存比赛中，竞争最后灭绝的选手有很多，但最近的一个新发现可能会帮我们把优胜者挑选出来。

新发现是一批恐龙角化石，属于一种植食性恐龙，这批恐龙角化石非常有可能是著名的三角龙的。化石是在美国蒙大拿州东南部偏远地区一处被称为“地狱溪建造”的地层中被发现的，这里曾经出土过很多恐龙化石。这批化石之所以引起科学家们的关注，是因为其埋藏的位置有点儿特别，其出土的地层仅仅位于标志着白垩纪（属于中生代）和第三纪（属于新生代）的K-T层下方13厘米处。这一地层通常被指定为恐龙灭绝的标志层。这就意味着恐龙似乎是在这一时期突然被从地球上抹去，消失得干干净净的。而这批恐龙角化石的主人就很可能是在这场灾难中死去的。也就是说，它们可能是最后灭绝的恐龙。

探索·发现：恐龙时代地球的变化

恐龙时代的地球与现在的地球迥然不同。从那时起，新海洋形成了，大陆改变了位置，新山脉从平地隆起。这些都是由组成地球表面的巨型岩石——板块的运动所引起的。

运动的山脉

在恐龙存活的时候，今天的一些山脉尚未形成。比如说，喜马拉雅山脉在恐龙灭绝之后才形成，是由亚欧板块和印度洋板块相互碰撞产生的。地壳产生褶皱隆起，从而诞生了世界上最高的山脉。像这样由两个板块碰撞而形成的山脉被称为褶皱山。

海洋的改变

板块运动也改变了海洋的形状和大小。当两个板块在海底相互碰撞时，其中一个板块会被挤到另一个板块底下，并在那里融入到地幔中。而在其他地方，板块与板块互相漂离，产生裂缝。岩浆从裂缝处溢出，并把它填满，从而加宽了海洋。

化石证据

化石可以帮助我们推测大陆是如何漂移的。古生物学家们经常能在几个被海洋分离的大陆上发现同一种动物的化石，并由此推断该种动物分布的各个大陆曾经是连在一起的。

海洋的改变

板块运动也改变了海洋的形状和大小。当两个板块在海底相互碰撞时，其中一个板块会被挤到另一个板块底下，并在那里融入到地幔中。而在其他地方，板块与板块互相漂离，产生裂缝。岩浆从裂缝处溢出，并把它填满，从而加宽了海洋。

化石证据

化石可以帮助我们推测大陆是如何漂移的。古生物学家们经常能在几个被海洋分离的大陆上发现同一种动物的化石，并由此推断该种动物分布的各个大陆曾经是连在一起的。

第五章

恐龙的远亲近邻

Konglong de Yuanqin Jinlin

三叶虫

在昆虫王国中，有一种蝴蝶叫枯叶蝶，它们长得和枯黄的树叶十分相像。无独有偶，在距今5.45亿年前的寒武纪，有一种远古动物长得也像树叶，它们就是三叶虫。

形似树叶

科学家们因为枯叶蝶长得像枯叶而给它们起名为枯叶蝶，三叶虫的命名也是这样来的。因为长得像由一个轴叶和两个肋叶组成的叶片，因此它们被称为三叶虫。三叶虫的形状大多为卵圆形或椭圆形，个体大小却很悬殊。发现于葡萄牙奥陶纪地层中的乌拉裂肋虫是最大的三叶虫之一，长达70厘米。而球接子之类的微小三叶虫却极少达到5厘米。

三叶虫不是“虫”

三叶虫的名字里虽然有个“虫”字，但它们却不是昆虫。按照科学家们的说法，在动物分类学上，三叶虫属于节肢动物门、三叶虫纲。它们生活在远古的海洋中，主要出现在寒武纪，到寒武纪晚期时发展到顶峰。此后，三叶虫从极盛走向衰退，延续到二叠纪末期时绝灭，没有进入中生代。三叶虫在整个古生代3亿多年的漫长地质历程中生生不息，繁衍出了众多的类群和巨大的数量，总计有1500多个属，10000多个种，其中发现于我国的大约有500个属。

寒武纪时为什么有那么多三叶虫

科学家们通过研究，认为三叶虫具有很强的环境适应能力。三叶虫并不遵循单一的生活模式，有些种类的三叶虫喜欢游泳，有些种类的三叶虫喜欢在水面上漂浮，有些种类的三叶虫喜欢在海底爬行，还有些种类的三叶虫习惯钻在泥沙中生活。它们占据了不同的生态空间，寒武纪的海洋成了三叶虫的世界。在寒武纪以后的地质年代，这种不同寻常的生物与其他无脊椎动物又共同生存了很长时间，数量才逐渐减少，物种才逐渐衰退。

和恐龙的关系

虽然三叶虫生活的年代距离恐龙出现还有一段时间，但自然界中万事万物都存在直接或间接的联系。有不少证据可以表明，三叶虫的繁盛为早期的鱼类和爬行动物提供了丰富的食物，也许某些吃了它们的动物后来进化成为恐龙。虽然三叶虫和恐龙之间没有什么直接的血缘关系，但它们却和恐龙一样是远古时期的明星。因为，它们和许多其他生物一起，共同揭开了地球生物多样化的序幕，从此，一个欣欣向荣的生物世界真正出现。

三叶虫化石

始祖鸟

一根神奇的飞羽于1860年在索伦霍芬附近一采石场被发现，羽干干净利落地将羽毛分隔成不对称的两个羽片，羽轴、羽枝和羽小枝都十分清楚。这个结构与现代鸟类的初级飞羽十分相似，却来自距今约1.5亿年的侏罗纪。由此我们可以确信，远在约1.5亿年前，地球上就已经有了鸟类的踪影。

和野鸡差不多大

始祖鸟的大小与现在的野鸡差不多，飞翔能力可能也只能和现在的野鸡相比。相比飞翔，它们更擅长奔走。

同许多古代生物的名字一样，始祖鸟的名字也来源于希腊文，意思是“长着古代翅膀的生物”。

始祖鸟的羽毛与现今鸟类羽毛在结构和形状上很相似。但是除了一些与鸟类的相似之处外，还有很多兽脚亚目恐龙的特征，例如，它有细小的牙齿，可以用来捕猎昆虫及其他细小的无脊椎动物。

是鸟还是恐龙

始祖鸟生活在距今约1.5亿年前，有锋利的牙齿和三指的爪子，尾巴有长长的骨骼，身覆羽毛，翅膀宽大，身长可达半米，能够飞翔。始祖鸟处于爬行动物向鸟类进化的关键节点，其化石的发现为达尔文的自然选择进化理论提供了强有力的证据。从那时起，古生物学家便一直将始祖鸟当成鸟类的祖先。

很长一段时期内，始祖鸟占据着鸟类进化树的最高位置，直到中国古生物学家通过研究始祖鸟的近亲属种，推断始祖鸟只不过是一种似鸟恐龙。

这个结论引起了世界各地古生物学家的高度关注，而且动摇了“始祖鸟是鸟类的祖先”这一论断。

但是，针对始祖鸟化石的研究并未停止，来自南澳大利亚博物馆的一位科学家迈克尔·李博士，利用生物系统发育理论重新进行了类似的实验。迈克尔·李博士没有对始祖鸟所有的解剖学特征进行全盘考虑，而是将重点放在一些缓慢进化的特征上，以此来减小由于不相关世系造成的生物性状和独立进化特征的差异。研究后，迈克尔·李博士发现，始祖鸟与诸如迅猛龙在内的恐龙差异较大，因此将其归结为鸟类更加恰当。

始祖鸟是鸟类的祖先还是似鸟恐龙？这个问题至今还没有确切的答案。

始祖兽是胎生哺乳动物的近亲吗

生活在远古时期的始祖兽会有一种什么样的体验呢？没有网络，也没有电视，只能睡在山洞里或者树枝上，听起来是不是糟糕透了？不过，这样也不是没有好处，至少让它们在生物进化谱系中位居前列。我们下面将要介绍的始祖兽，就是包括人在内的胎生哺乳动物的祖先或近亲。

外形如同一只大老鼠

始祖兽生活在白垩纪早期，身形小巧，大小相当于一只大老鼠。

始祖兽的肩部、肢骨和四肢掌部伸长的足趾与现代许多善于攀缘或树栖的哺乳动物非常相似，这表示，始祖兽是一种善于在崎岖地面攀爬，在灌木丛中活动的小型哺乳动物。它们生活在河湖岸边的矮小树丛中，昆虫是其主要食物。

古生物学家曾经发现过一具始祖兽化石。当时这个小家伙可能在翼手龙飞过时爬上了树枝，由于某种原因，最终变成了化石。据化石的外观推测，始祖兽足趾伸长，跃跃欲飞，表明它善于攀缘。

有的古生物学家认为，始祖兽是迄今为止所知的，包括人类在内的哺乳类家族中最早的成员；有的古生物学家则不认同这种观点。

始祖兽化石

长有毛发

始祖兽化石是2002年在我国的辽宁省被发现的。根据始祖兽的化石，古生物学家发现始祖兽有毛发的痕迹。过往有此特征的纪录要追溯到6000万年前，但此化石却把时间推到了6500万年前。一般毛皮都很难被化石化，所以说这一具始祖兽化石是罕见的。当然这并不表示更早的哺乳动物是没有毛发的，不过骨骼证据显示毛发可能在三叠纪或上二叠纪的非哺乳类动物祖先身上出现。

恐怖鸟的秘密武器

距今6400万年到1万年间的南美洲，生活着一种长相怪异的动物，它们是这片大陆的统治者——恐怖鸟。这是地球历史上唯一一个成为顶级捕食者的鸟类。下面我们将要介绍这个鸟类家族中的异类——当时地面上最可怕的掠食动物。

长相怪异的鸟

在地球物种生命进化的进程中，恐龙曾经作为史上最大的捕食者统治着这个地球，它们的统治时间长达1.6亿年，却在约6500万年前灭绝。恐龙灭绝之后，顶级捕食者的竞争拉开了序幕。在南美洲之外的土地上，顶级的捕食者是哺乳动物，而在南美洲，情况却有所不同。当时南

美洲被水环绕，与世隔绝，大多数哺乳动物都是温顺的植食性动物。在这种环境下，替代恐龙顶级捕猎者位置的是一种长相极其怪异的鸟类，它们就是恐怖鸟。

喜好猎杀的鸟

恐怖鸟身高达3米，体重约400千克，体态与鸵鸟十分相似，同样不会飞翔。但和鸵鸟的食素不同，它们天性喜好食肉。它们还具有惊人的奔跑速度。当它们将猎物尸体饱餐一顿后，会用强壮的腿部把猎物的骨头击碎，吸食碎骨中的骨髓。

有的古生物学家认为，恐怖鸟的主要猎食武器是头部。它们的头部巨大，可以在它们撞击猎物时提供巨大的冲击力。这种巨大的力量几乎可以让猎物在瞬间丧命。恐怖鸟的头骨非常坚硬，完全不用担心在撞击的时候被撞坏。

有的古生物学家则认为恐怖鸟最厉害的猎食武器当属爪子。在南美洲的原野上，它们一旦盯上猎物，就会风驰电掣地奔跑起来。追上猎物后，它们就会用厚重有力的脚爪将猎物杀死，然后用尖锐的嘴将猎物的尸体撕开，吃掉。

无论以上两种说法哪种正确，恐怖鸟都是令人毛骨悚然的恐怖猎食者。

“海洋杀手”——幻龙

就像鲸鱼的名字里虽然有个“鱼”，但它们却不是鱼类一样，幻龙的名字里虽然有个“龙”，但它们却不是恐龙。那它们是什么呢？它们是生活在三叠纪时期的一种海洋爬行动物，勉强可以算得上是恐龙家族的远房亲戚，但基本上已经没有什么血缘关系了。

长得像树叶

幻龙是远古时期鳍龙类的一种，生活在三叠纪时期，它们身形大小不一，最小的只有36厘米，最大的长达6米。

幻龙头部呈扁形三角状，有一张长满了钉子状尖牙的大嘴巴，颈部比较大，脑袋跟脖子相比要细小很多。在外形上，幻龙有点儿像鳄鱼，都有扁长形的尾巴和四条短腿。幻龙的身体呈流线型，四肢不像蛇颈龙一样呈鳍状，而是具有脚趾和蹼，并且强而有力。

幻龙的膝关节和肘关节可以弯曲，古生物学家根据这个特征推测出，它们会经常到陆地上进行交配和生产等活动。幻龙像大多数原始爬行动物一样，拥有一条灵活自如的长尾巴，幻龙通过上下摆尾而向前游动。

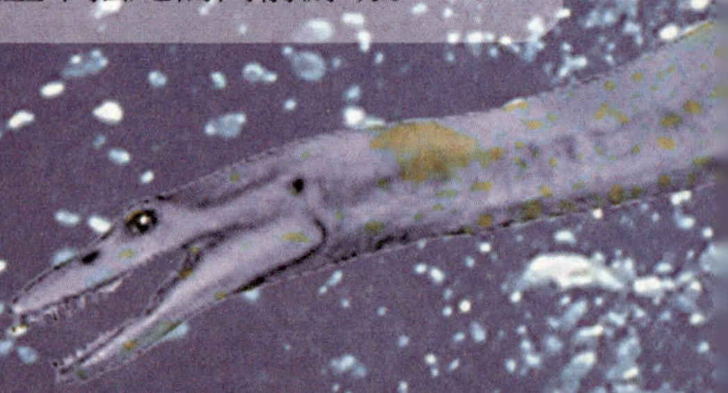

生活在浅海

幻龙生活在浅海附近。有的古生物学家推测，它们可能过着类似现代海豹的生活，借摇摆尾巴、四肢以及有蹼的脚掌，在水中推动前进。到了繁殖季节，母幻龙就拖着沉重的身体到海滩上产卵。

有的古生物学家认为，幻龙虽然一般在海里捕食，猎食鱼和小的爬行动物，例如菊石、鱼和小爬虫等，但这并不能证明幻龙是单纯的水栖动物。它们有时也会到陆地上生活。有人曾在海岸边及洞穴中发现它们幼年个体的化石，这说明幻龙还是很喜欢到陆地上来的。

幻龙是水栖动物还是水陆双栖动物，这需要进一步的化石研究才能确定。

“海上霸王”——沧龙

亿万年前的中生代地球上，恐龙统治着陆地，翼龙飞上了天空，而浩瀚无垠的大洋中也孕育出了各种海生爬行动物——“海龙”。在它们当中，有一个家族在短时间内迅速崛起，成为海洋里最耀眼的明星，这就是沧龙。

白垩纪的海洋之王

白垩纪末期，陆地上的恐龙演化到了巅峰，雄踞海洋食物链顶端的沧龙自然也非等闲之辈。从身体轮廓上看，沧龙跟鳄鱼、巨蜥略有相似之处，但它们已完全适应了海中生活，并且可以用肺呼吸。它们主要生活于岸边的浅海地区，用利齿捕捉软体动物，以它们为食，不过有时也会猎杀蛇颈龙等大型动物。

沧龙的身躯细长圆滑，体表鳞片光滑细密，有利于减小阻力。它们的四条腿已演化成了类似海龟肢体的“鳍状肢”，主要功能不是推动身体，而是控制方向。沧龙遨游海中的动力，来自它们肌肉发达的长尾巴。游泳时，沧龙的尾巴有力地左右摆动，推动庞大的身体快速前进。古生物学家们曾认为沧龙的尾巴像鳗鱼一样是扁平桨状的，但近几年一些古生物学家重新分析了沧龙的尾椎骨化石和软组织印痕后，认为大多数种类的沧龙，尾巴末端应该像鲨鱼的尾巴一样，是分叉的。

强大的嗅觉

要想称雄碧海，不光要有舞波弄潮的好身手，还要配上精良的武器，这点沧龙也同样具备。尤其是霍夫曼沧龙、海王龙和海诺龙等几种大型沧龙，口中有数十颗锋利的大牙，靠近喉咙处还有两排可活动的小牙齿，能紧紧咬住猎物。它们的嘴巴能像蛇一样张开很大的角度，就算较大的猎物也能囫囵吞下。

沧龙由于在海洋中长期生活，视觉逐渐退化，相反，嗅觉和听觉变得异常发达。

研究发现，沧龙强大的嗅觉有赖于特殊的鼻子，它们通过鼻子收集外界的信息，然后传至大脑，这样就能感觉到来自同类的信息。它们的耳朵已经退化，主要是靠上颚侧面与吻部的一组神经来侦测情况的。古生物学家推测，它们的特殊的“耳朵”能够把声音放大几十倍，并且还能够侦测到猎物的准确位置。但是，这种说法目前只停留在猜想阶段，还没有被证实。

也有小个子

不过，沧龙不都是庞然大物，也有多种三四米长的小型沧龙。这些小型沧龙生活在近岸海域甚至淡水中，当小霸王就满足了。还有一种牙齿钝圆的球齿龙，几乎专吃外壳坚硬的菊石、贝类等软体动物。

怪模怪样的蛇颈龙

啊，一个小脑袋露出了海面，紧接着是一个细长的脖子，它游向了岸边，爬上了岩石。它的身子又扁又平，四只鳍脚又宽又有力。这个怪模样的家伙是谁？它是海洋里的霸王——蛇颈龙。

长得像一条蛇穿过一只乌龟

古生物学家形容蛇颈龙的外形就像“一条大蛇穿过一只乌龟”。这个比喻确实很形象。

蛇颈龙的头很小，脖子却非常长，躯干像乌龟，尾巴短。头虽然偏小，但嘴很大，嘴内长有很多细长的锥形牙齿。蛇颈龙的身体大多非常庞大，四肢进化为适于划水的肉质鳍脚，蛇颈龙既能在水中往来自如，又能爬上岸来休息或产卵繁殖后代。

蛇颈龙是一个凶残的肉食者，不仅吃鱼类，有时还能捉住俯冲到海面捕食的翼龙。蛇颈龙在地球上一直生活了1亿多年。

吞石头帮助下潜

蛇颈龙体形庞大，它的脖颈与躯体不成正比，由于它特殊的身体构造，它不能将身体完全潜入水中。因此，古生物学家认为，蛇颈龙在猎食时不能很灵活地潜入水中捕捉猎物，于是吞下许多石头帮助沉入水下。

不过，也有一些古生物学家认为，蛇颈龙体内胃石的主要作用可能是帮助消化。蛇颈龙在海底觅食时会吞下许多蛤蜊、螃蟹等带有甲壳的动物，胃中难免会留下难以消化的贝壳残物。正是这种石头在胃中将难以消化的贝壳磨碎，促进蛇颈龙的食物消化，久而久之，胃中的石头也被磨得十分光滑。

当然，这两种理论并不冲突，或许吃进胃里的石头既起到帮助消化的作用，又起到增加体重，便于下潜的作用。

被怀疑是尼斯湖的水怪

尼斯湖位于英国苏格兰高原北部的大峡谷中，湖长37千米，平均深度达200米，最深处有298米，它是淡水湖，终年不冻，鱼虾众多，水鸟翔集。1933年，尼斯湖旁兴建公路，自此目击湖怪的报告明显增多。坊间普遍怀疑湖怪是蛇颈龙。

这个怀疑不是没有道理的，因为海洋深处的生物圈比大陆的稳定，沉寂在海底最深处的那片黑暗环境，以现代的科技实力不可能完全探究。史前一次小行星撞击地球导致陆地上的大型原始生物近乎灭绝，但海洋深处的动物则有可能幸免于难。矛尾鱼、海鳗、剑吻鲨、银鲛等史前古老生物在尼斯湖依然可见，蛇颈龙的存在也就不无可能。神秘海洋的探索还依赖科技的发展，或许，未来某一天蛇颈龙真的会重现在我们的视野中。

鱼龙：恐龙家族的老朋友

在三叠纪晚期到白垩纪末期的海洋里，有一种生物非常厉害，它就是鱼龙。不要被它的名字误导，它既不是鱼，也不是恐龙，而是一种生活在海洋中的大型爬行动物。它是恐龙家族的老朋友，出现和灭绝时间也和恐龙非常接近。

巨型的“海豚”

鱼龙身长20多米，体重可达数十吨，身体为流线型，皮肤裸露，很适合在水中游泳。它长有长长的脑袋，鼻孔长在头上方，外形长得像如今的海豚，嘴里长满了又尖又大的牙，最多可达200个。鱼龙有两只大眼睛，直径最大可达30厘米。除此之外，鱼龙还有着一种叫巩膜环的护眼结构，这说明鱼龙的视力很好。有的古生物学家认为，鱼龙可以在光线暗淡的夜间或深海里追捕乌贼、鱼类等动物。

游泳高手之谜

鱼龙的游泳速度惊人，靠相互成直角的叶轮片状的尾巴，时速可达40千米。有的古生物学家认为，鱼龙游泳的主要力量是由大尾巴提供的，大尾巴来回折击，身躯进行有韵律的摆动，能使它在水里迅速前进；有的古生物学家则认为，鱼龙的4个鳍才是它们成为游泳高手的关键。鳍起到平衡的作用，控制在水中上下方向的运动，帮助定向和制动。另外，其背鳍还是防止左右滑动的平衡器。鱼龙究竟为何能游得如此快，还需要古生物学家的进一步研究才能解答。

鱼龙作为海洋性的动物，在世界各地均有分布。有些早期的鱼龙有能够咬碎贝类的牙齿，它们的主食可能是鱼类。一些大型的鱼龙还拥有强壮的腭和牙齿，说明它们也吃小的爬行动物。

鱼龙是胎生的

大量的鱼龙标本证明，鱼龙能够产下幼崽，生小鱼龙时，是尾巴先生出来，最后是头部。

每年的6月中旬，怀孕的雌性鱼龙会成群结队地游到有大片珊瑚礁和海藻丛的内陆海，尽快生产。这种环境不仅为小鱼龙提供了丰富的食物来源，也是它们的避难所。

小鱼龙离开母体后，第一件事就是赶快浮到水面上去吸一口气。它们生下来就很活泼，能够自由游泳。新生的小鱼龙成长初期，珊瑚礁中的洞穴和通道成了它们躲避肉食性动物的理想场所。在几个月内，小鱼龙就会长大，进入开阔的海域生活。

“空中霸主”——翼龙

因为被称为中生代的地球主宰，所以恐龙们都非常自豪，你看它们走路时都高昂着头，一副不可一世的模样，不过它们还没高兴多久就遭到了质疑。质疑它们霸主地位的是沧龙，这位海洋之王表示海洋是它的领域。话音刚落，天空中传来一阵风声，长着翅膀的翼龙宣称：“如果你们是陆地之王和海洋之王，那我就是天空之王。”

会飞的爬行动物

说到爬行动物，恐怕没有人会把它们同飞行联系起来，然而在中生代，却有一种会飞的爬行动物，那就是翼龙。

作为和恐龙生活在同一时代的生物，翼龙并非恐龙，只能算是恐龙的近亲。翼龙的家族中共有大约100个成员，生存于三叠纪晚期到白垩纪末期。它们中有的体形和麻雀一样大，有的却大得惊人，例如风神翼龙。风神翼龙的翅膀展开的时候，有15米长。翼龙常生活在湖泊、浅海的上空。一些翼龙具有脚蹼，可以从天空中发现飞行的昆虫以及水中游动的鱼、虾等小型水生动物，并且迅速出击，准确地捕食它们。大多数翼龙都是肉食性动物，它们的猎物包括鱼、水生的无脊椎动物和其他陆地动物。

除此之外，有些翼龙是腐食性动物，有些是植食性动物。在陆地上时，翼龙可直立行走。

翼龙的翅膀和鸟类的不同，没有羽毛，而是一种翼膜。这种翼膜从胸部延展到极长的第四手指上，展开时就成了风帆的模样。就是依靠这种翼膜，翼龙才能飞行。

翼龙如何飞翔

翼龙也像现在的鸟类一样飞翔吗？自翼龙被发现以来，这个问题就一直困扰着古生物学家们。有些古生物学家认为翼龙具有非常结实的翼膜，而且翼膜的外侧有像框架一样的筋骨相连，所以它们能像鸟一样扇动翅膀。它们由于翅膀非常大，稍稍拍动一下就可以获得巨大的反作用力，使自己飞起来。而另外一些古生物学家则持相反的意见，他们认为那些巨大的翼龙根本就不会飞，它们不能像鸟一样振动自己的翅膀，但是它们可以先爬到高处，迎风张开巨大的双翼，这样就可以借助上升气流，使自己在空中滑翔。

这两种观点究竟哪一种正确，如今还没有定论。也许在不久的将来，你就可以破解这一难题呢！

异齿龙的习性之谜

异齿龙生活在侏罗纪早期的南非地区，是原始的肉食性动物。其名字虽有“龙”字，但并不是恐龙。

不同形态的牙齿

尽管被很多人误认为是恐龙的一份子，但异齿龙其实并不是恐龙。异齿龙是大型顶级掠食动物，身长达3.5米。因为它们的大型头颅骨中有两种不同型态的牙齿，所以它们被人们称为“异齿龙”。

异齿龙的化石在北美与欧洲等地均有发现。二叠纪时北美与欧洲的气候可能十分干燥，因此，异齿龙应该具有很强的适应能力。

背帆的用途

异齿龙最明显的特征是背部的高大背帆。这种帆状物可能是用来控制体温的。背帆的表面可使加热、冷却更有效率。这种温度的调节非常重要，因为它可让异齿龙有更多的时间来捕猎猎物。帆状物也有可能有求偶或吓阻猎食者之用。

习性成谜

有的古生物学家认为，异齿龙是为数不多的有冬眠和夏眠习惯的恐龙。由于它们生活在当时气候干旱的南非，那里雨水少、温差大，当一年中最恶劣的天气出现时，为了生存下去，异齿龙养成了夏眠或冬眠的习性以适应环境。

有的古生物学家则不认同这种观点。他们认为目前并无证据证明恐龙有冬眠或夏眠的习性，异齿龙也不例外。他们认为异齿龙尽管不冬眠、夏眠，但为度过严寒酷暑，它们可能会随着季节的变化而迁徙。

异齿龙究竟是如何应对季节变迁、气候变化的，目前尚不得而知。

猛犸象灭绝之谜

冰川时期，丰茂的草地养育着猛犸象庞大的家族，它们遍布各个大陆。猛犸象曾统治了北半球几百万年。然而，像恐龙一样，它们离奇地灭绝了。

人类的过度捕杀导致灭绝

猛犸象和现在的大象拥有共同的祖先。大象一直繁衍到今天，然而，猛犸象却灭绝了。是什么灭绝了猛犸象，是大自然？是猎人？还是什么具有毁灭性的事件？

有的古生物学家认为，人类的大肆捕杀导致了猛犸象的灭绝。但是这种观点似乎难以成立。在猛犸象的灭绝原因

中，人类捕杀只是一个很次要的原因，因为猛犸象的活动范围很广，人类无法到达猛犸象所能到达的寒冷的地方。即便人类把自己周围的猛犸象都杀死了，在更寒冷的地方仍然可以有猛犸象。

彗星撞地球导致灭亡

有的古生物学家认为，猛犸象的灭绝，或许与陨星撞击地球导致的气候快速变化有关。科学家认为，1.28万年前一颗陨星撞击地球之后，分解成了上千万吨的燃烧碎片，散落到4个大陆上，并遮住阳光，使地球气温骤降，植物死去，永久改变了陆地景观，其释放的有毒气体弥漫在大气中。陨星撞击之后，一些动物，比如人类，通过迁移、缩小种群规模或改变生活方式等，逐渐适应了资源不足的环境。猛犸象却因为无法适应环境而灭绝了。

古生物学家的这个观点得到了有力的佐证。他们曾在4个大陆上发现

了燃烧碎片的证据，其历史都可以追溯到1.28万年前。古生物学家对这一时期的岩床进行了分析。这也是猛犸象以及其他冰河时代动物最后存在的时期。

罹患不治之症导致灭亡

有的古生物学家则认为，气候变化和人类的捕杀都不能充分地解释猛犸象为何灭绝。

他们在吐库拉猛犸象遗址中发现了一些新的线索。这些猛犸象的下颚的臼齿不同寻常，右边的发育正常，而左边的却是奇形怪状的。

古生物学家认为，猛犸象很可能患上了一种能够跨越物种传播的可怕的疾病，因而灭绝。古生物学家认为，当一种疾病传入从未经历过这种疾病的群体时，因为缺乏免疫力，这个群体极有可能很快就灭绝。这种说法也许有助于说明吐库拉猛犸象灭绝的原因。

那么，猛犸象到底是被传染上了一种什么疾病呢？

古生物学家认为，克洛维斯人传播疾病的嫌疑似乎非常大，因为他们来到北美洲的时间正好是猛犸象数量下降的时期。

然而，他们又是如何把疾病传染给猛犸象的呢？

原来，传播疾病的不是人类，而是人类的好朋友——狗。

克洛维斯人把狗带到了北美洲。狗带来了狂犬病、犬瘟热和跳蚤，并把这些于健康有碍的东西传播给了猛犸象。古生物学家们正从猛犸象的骨骼中提取DNA样本，寻找它们曾经遭受过病毒传染的证据，为这一说法的成立提供佐证。

猛犸象究竟因何而亡，目前仍在进一步研究中。无论结果如何，我们都为地球母亲失去了这样一个种族而扼腕叹息。

鳄鱼为何没有灭绝

鳄鱼是一种极古老的爬行动物，至今已有2亿多年的历史，当地球还处于恐龙称霸的时代，鳄鱼就已经遍布地球的各个角落了。时至今日，恐龙家族已经灭绝许久，而鳄鱼依然生活在地球上的许多地方，其形态、生存方式并没有太大的变化。那么，鳄鱼是如何避免了惨遭灭绝的命运呢？

团结合作，共同捕猎

鳄鱼之间的生存关系较为协调，在必要时能够团结一致，合作捕猎，以便制服较大的猎物。获得猎物的鳄鱼也较宽容，能够容忍附近的其他鳄鱼来分享食物。毋庸置疑，鳄鱼内部的这种生存关系极大地提高了鳄鱼的战斗力，战斗力一定程度上决定了自然选择的结果——生存还是死亡。

因为懒得动，所以吃得少

与非洲狮、美洲豹这类猛兽相比，鳄鱼在捕猎时更加善于把握最佳时机，讲究用最少的体力消耗获得猎物，与那些依靠奔跑来猎食的肉食性动物相比，这种捕猎方法似乎场面不够壮观、热闹，但却可以用最少的体力消耗获得食物。此外，鳄鱼平时的运动量较少，食量比其他同体重的肉食性动物小得多，对食物的吸收利用率极高，这有助于它们度过食物短缺的时光。

它们的“食物”还活着

鳄鱼之所以没有灭绝，还有一种说法是因为鳄鱼的很多捕猎对象没有在那场全球性的物种大灭绝中灭绝，这其中包括多种鱼、蛙、水鸟、龟、小型兽等等。虽然大灾难减少了鳄鱼可捕猎的对象，但也减少了鳄鱼种群的数量，使得幸存下来的鳄鱼依然能够得到足够的食物，因此，鳄鱼才逃脱了整个种族灭绝的厄运。

以上哪种说法正确，现在仍不得而知，或许，鳄鱼可以存活到现在与多种因素有关。

恐龙趣谈：恐龙趣味问答

小朋友，我们的恐龙探秘之旅已经进入尾声。了解了这么多与恐龙有关的知识，你快成“恐龙通”了吧？别急，还有一些关于恐龙的趣味问题是你想要了解的，那么，咱们就一问一答吧！

恐龙食同类的动物吗

在美国新墨西哥州发现的一具腔骨龙残骸化石内，有幼年腔骨龙的骨架。据此科学家推测，成年腔骨龙可能在食物短缺的时候吃同类的幼年腔骨龙，并进而推测其他种类的恐龙也可能吞食同类。

有生活在全世界的恐龙吗

有些恐龙，比如腕龙，在北美洲、非洲和欧洲都被发现过。而另一些恐龙，比如冰脊龙，则只生活在南极洲。

恐龙灭绝前世界是什么样的

大约6500万年前，世界由恐龙主宰着。如，在当时的亚洲和北美洲，存在着种类繁多的甲龙、肿头龙、角龙、鸭嘴龙等。恐龙家族很繁盛，在灭绝前没有任何征兆。

为什么有的恐龙会被改名

科学家在描述化石时有时会犯错，因此一些恐龙的名字有时需要进行更改。例如，1985年，一位美国科学家发现了一种巨型蜥脚类恐龙的残骸，将那种恐龙命名为巨龙。当他注册此名字时，发现已有另一个科学家使用这个名字命名了另一种恐龙，但是这位科学家仍重复注册了这个名字。几年后，他又意识到他所谓的巨龙实际上只是一种

大型腕龙，因此他完全弃用了之前的名字。目前，一个名叫国际动物命名委员会（ICZN）的科学机构来为新发现的恐龙命名，该机构的成员均是世界上各个国家和地区的权威的科学家。

其他时期发生过物种灭绝吗

恐龙灭绝并不是第一次大规模物种灭绝。大约在4.4亿年前，地球上几乎85%的生物灭绝了，之后在3.65亿年前又发生了一次生物大灭绝。接着，约在2.5亿年前的二叠纪末期，地球上超过95%的物种灭绝了。